Les super pouvoirs de l'avocat

Sylvie Hampikian
et Catherine Moreau

Les super pouvoirs de l'avocat

120 recettes pour profiter des bienfaits santé de ce superaliment

MARABOUT

Sommaire

Les secrets de l'avocat

1

Un fruit du bout du monde

Lorsque Christophe Colomb découvre le Nouveau Monde, il ignore qu'il va révolutionner la gastronomie européenne. Car dans les bagages des conquistadors, pommes de terre, haricots verts, flageolets, tomates, aubergines, piments, viendront bientôt enrichir les potagers et les marmites du vieux continent. Il faudra pourtant attendre plus de quatre siècles pour qu'un autre trésor d'Amérique centrale arrive enfin sur nos tables. Le savoureux avocat a su se faire désirer !

Un peu d'étymologie

En quechua, la langue des Incas, l'avocat se nomme *palta*, et ce mot est toujours en usage dans plusieurs pays d'Amérique du Sud. Mais c'est plutôt le nom aztèque *ahuacatl* qui a essaimé à travers la planète. Il signifie « testicule », très certainement en raison de la forme des fruits et du fait qu'ils poussent le plus souvent par pair… On le retrouve, très altéré, dans les mots *avocado* et « avocat ». Le terme « guacamole », qui désigne une préparation à base d'avocat mixé, dérive aussi de la langue aztèque, plus précisément du terme *ahuacamolli*, signifiant littéralement « sauce à l'avocat ».

En France, le fruit fut appelé « aguacate » entre les XVIe et XVIIIe siècles, puis « poire d'avocat » ou « poire avocate » vers la fin du XVIIe siècle. C'est aux alentours de 1715 que celui-ci a acquis son nom définitif d'avocat.

▶ **Du fruit tropical à l'homme de loi**

L'analogie du nom du fruit avec celui de l'homme de loi n'a rien à voir avec une quelconque ressemblance physique! Elle provient en fait du langage populaire espagnol. Suivez le guide: le mot aztèque *ahuacatl* est transposé par les Espagnols en *aquagate* qui, par ressemblance phonétique, et non sans humour, devient populairement *avocado*, terme qui désigne déjà la profession judiciaire. *Avocado* passe en France sous la forme de «avocate», qui deviendra «avocat» au XVIIIe siècle. Les Anglais, n'y voyant aucune analogie avec leur «lawyers», conserveront intact le mot *avocado*.

L'avocat des botanistes

L'avocatier est un arbre des régions chaudes, originaire du continent américain. Il s'agit d'un arbre à feuillage persistant, c'est-à-dire restant toujours vert. Pour le décrire, fions-nous au *Dictionnaire de Trévoux* (1743) qui nous en donne une définition sans doute imprécise, mais qui a le mérite d'être imagée, voire poétique. Selon cet ouvrage, l'avocatier *(Persea)* ressemble à un poirier et ses feuilles à celles du « laurier à larges feuilles ». Elles sont « d'une odeur et d'un goût agréables, piquant la langue ». Ses fleurs, abondantes, ressemblent également à celles du laurier. Comptant six pétales de couleur (vert) pâle, elles sont très petites et regroupées en grappes. Le fruit « ressemble au commencement à une prune puis devient long comme une poire ». Il est « noir et de bon goût ». Il contient « un noyau qui a la figure du cœur ».

Classification

En le comparant au laurier, les botanistes du XVIIIe siècle ne s'étaient pas trompés, car l'avocatier appartient lui aussi à la famille des Lauracées, et plus précisément au genre *Persea*. Ce genre, exclusivement américain, compte quelques espèces sauvages, arbres des forêts tropicales dont la hauteur peut atteindre 30 m de haut et qui donnent des fruits plus ou moins gros (de 2 à 10 cm de long) et plus ou moins consommables… Par exemple, le coyo, fruit de *Persea schiedana*, présente un gros pépin entouré d'une chair peu abondante et granuleuse, peu comestible malgré un goût agréable.

Connus pour leurs fruits bien plus savoureux, trois types d'avocatiers sont cultivés aujourd'hui : le type mexicain, le type guatémaltèque et le type antillais (ou West-Indian). On trouve les avocatiers des types mexicain et guatémaltèque dans les régions montagneuses subtropicales, donc chaudes et plutôt sèches, du Mexique et du Guatemala. Les avocatiers du type antillais poussent principalement dans les plaines tropicales de basse altitude, et plus particulièrement dans les Caraïbes. Pour cette raison, on désigne couramment les types mexicain et guatémaltèque sous le terme générique « avocat subtropical » quand l'appellation « avocat tropical » est réservée au type antillais.

On a longtemps considéré que tous faisaient partie de la même espèce, *Persea americana,* également désignée par le synonyme ancien *Persea gratissima* (que l'on retrouve sur l'étiquette des cosmétiques à base d'huile d'avocat). Actuellement, de nombreux spécialistes considèrent que les avocatiers cultivés appartiennent en fait à deux espèces botaniques distinctes :

- *Persea americana* : type mexicain (*Persea americana* var. *drymifolia*) et type antillais (*Persea americana* var. a*mericana*).

- *Persea nubigena :* type guatémaltèque (*Persea nubigena* var. *guatemalensis*).

Néanmoins, la distinction de l'espèce *Persea nubigena* est somme toute assez récente, ne datant que de 1977 (sur la base des travaux du botaniste L.O. Williams), et demeure encore contestée. Raison pour laquelle, dans la plupart des publications, l'avocatier cultivé est exclusivement désigné par le nom scientifique *Persea americana.*

En résumé, l'avocatier appartient à l'espèce *Persea americana.* On en distingue trois types cultivés, regroupés sous les appellations d'avocat subtropical (types mexicain et guatémaltèque) et d'avocat tropical (type antillais).

Portrait type

Dès que le fruit se forme, l'avocat doit compter avec… un très gros pépin ! Car ce que nous appelons son « noyau » est en fait un unique et volumineux pépin, c'est-à-dire une graine entourée d'une peau adhérente et non pas d'une coque bien distincte, comme dans le cas des noyaux de la pêche ou de la mangue… Par conséquent, en termes botaniques, l'avocat est une « baie à un seul pépin ». N'en déplaise aux myrtilles et autres groseilles, la géante citrouille et le gras avocat font aussi partie des baies !

Toujours en termes savants, voici le portrait type du fruit avocat : l'exocarpe (écorce) est fin et cireux, plus ou moins coriace ; la chair comestible est un « mésocarpe parenchymateux » dont les cellules renferment de petites vésicules (vacuoles) contenant des gouttelettes d'huile. Dispersées dans la chair, certaines cellules, appelées idéoblastes, présentent une unique grande vésicule emplie d'huile. Les idéoblastes constituent environ 2 % du volume de la chair de l'avocat. Ceci signifie en clair que la chair de l'avocat est riche en graisses (lipides), une exception dans le monde des fruits. Car parmi les espèces comestibles, on ne connaît que deux fruits à chair grasse : l'olive et l'avocat (car la noix de coco est en fait une graine).

Tropical et subtropical

Au-delà de ce prototype, les avocats présentent une grande variabilité : de taille (de moins de 100 g à près de 2 kg), de forme (rond, ovale ou piriforme), d'aspect (lisse ou granuleux), de couleur (vert franc à presque noir). C'est principalement cette variabilité du fruit qui a conduit à classer les avocats cultivés en trois types, que nous avons déjà évoqués.

- **Type mexicain (subtropical)** : fruits relativement petits, pesant de 75 à 300 grammes, présentant une peau fine, lisse et noire, et un noyau tendre. C'est le plus riche en huile (9 à 30 %). C'est à ce type mexicain qu'appartiennent les variétés cultivées les plus populaires à travers le monde, Hass et Fuerté, sur lesquelles nous reviendront plus loin.
- **Type guatémaltèque (subtropical)** : fruits de grande taille (500-600 g), à la peau épaisse et bosselée, contenant un gros noyau dense et présentant une teneur moyenne en huile végétale dans la chair (environ 7-10 %).
- **Type antillais (tropical)** : très gros fruits, pesant jusqu'à plus de 1 kg, à la peau fine, verte, rougissant à maturité, avec une faible teneur en huile (moins 7 %). Il est également moins sucré et a un goût de noisette moins prononcé que les avocats de type subtropical.

Selon les experts, les trois types d'avocatiers proviendraient d'une même souche sauvage (qui pourrait être « aguacate de Anis » du Costa Rica). Mais ils auraient été domestiqués pendant des siècles de manière indépendante dans différentes régions d'Amérique centrale, d'où cette grande diversité.

▶ **Des avocats sans noyau**

Le rapport entre la taille de la graine (que nous appellerons à partir de maintenant «noyau») et le volume de la chair des avocats est également variable, ce qui vaut parfois quelques déconvenues au cuisinier qui ouvre un fruit après l'avoir fendu. L'option «gros noyau pour peu de chair» n'est en effet guère appréciée. Heureusement, dans les avocats des meilleures variétés cultivées, la chair représente 70 % du poids du fruit. Il arrive même, en période de fortes chaleurs, que les graines de certaines variétés avortent prématurément et que l'avocatier produise des fruits stériles ne contenant pas de noyau. De forme allongée, ces fruits très particuliers sont surnommés «avocat cocktail» ou «avocat cornichon». Il ne s'agit pas d'une variété cultivée, mais juste d'une aberration accidentelle survenant au cours du développement du fruit. Aberration qui est séduisante pour le consommateur, mais qui n'est pas exploitable à grande échelle, car elle résulte d'un stress subit par l'arbre, pouvant affaiblir celui-ci.

La production agricole

Dans les régions d'origine, en Amérique centrale et du Sud, il semble que l'avocat fasse partie de l'alimentation humaine depuis plus de 9000 ans et qu'il soit cultivé depuis plus de 8000 ans au Mexique, plus précisément dans la région que recouvre l'actuel État d'Oaxaca. Les recherches archéologiques attestent qu'il fut notamment apprécié par les civilisations mayas et aztèques. Les Indiens ne se contentaient d'ailleurs pas de le consommer comme aliment, mais lui attribuaient un rôle majeur dans leur mythologie et leur iconographie, ainsi que dans leur système de commerce.

Dès l'époque précolombienne, les cultivateurs ont procédé à la sélection d'avocats de plus en plus gros. En effet, des vestiges découverts dans des grottes dans la vallée de Tehuacán, au Mexique (État de Puebla), montrent une augmentation progressive de la taille des noyaux d'avocats, entre ceux retrouvés dans les couches récentes par rapport à ceux provenant des couches plus anciennes.

Les conquistadors espagnols découvrent le fruit au XVIe siècle. Dans son livre *Sommaire de l'histoire naturelle et générale des Indiens*, publié en 1526, l'explorateur Fernandez de Oviedo décrit l'avocat pour la première fois. « Avec sa chair tendre et douce, ce merveilleux fruit est un autre des trésors inestimables que le Nouveau Monde a donné au reste des palais de la planète. »

Toutefois, il faudra attendre la fin du XIXe siècle pour que les agronomes et les horticulteurs s'intéressent à sa culture. Dès 1825, quelques pieds sont cultivés en Amérique du Nord, à très petite échelle. En 1884, des graines sont envoyées du Mexique à Santa Barbara dans le but de procéder à des études agronomiques. Des arbres en naissent, mais leur propagation pose problème. C'est en 1901, à Miami (Floride), qu'un certain M. Cellon réussit à multiplier les avocatiers par « écussonnage ». Il propose à cette époque deux variétés, Pollock et Trapp, sélectionnées à partir de nombreux semis effectués dans la région. Quelques producteurs constituent de petits vergers destinés à alimenter les marchés locaux. Une production à plus grande échelle débute vers 1910 en Californie, avant de s'étendre à la Floride et à Cuba.

Progressivement, dès les années 1920, l'avocat rencontre du succès auprès du public. Le développement des procédés de réfrigération facilite la conservation et le transport de ce fruit fragile, et la production intensive devient alors plus aisée ; elle s'étend alors aux autres continents, notamment à l'Afrique du Nord. En 1924, un agronome français envisage même une production à grande échelle des avocats « dans les régions littorales du Sud et de l'Ouest de la France, baignées par le gulf-stream ». Selon lui, « l'acclimatation en France d'un fruit aussi délicieux que l'avocat devrait tenter certains amateurs ou les offices agricoles des départements méditerranéens[1] ». Mais cette prédiction n'est toujours pas d'actualité : malgré le réchauffement climatique, les « avocateraies » n'ont pas encore vu le jour dans l'Hexagone. Seule la Corse développe, depuis quelques années, une petite production d'avocats, principalement biologiques (24 tonnes par an).

En Europe, le fruit restera longtemps une denrée rare et chère, un luxe réservé aux plus riches. Il faudra attendre que les producteurs d'Amérique du Nord intensifient sa culture, après la Première Guerre mondiale, pour qu'il trouve sa place sur toutes les tables. C'est surtout à partir de 1950 que sa consommation se « démocratise » et que sa production monte en puissance (elle atteint 3,5 millions de tonnes en 2011). Actuellement, l'avocat ne fait toujours pas partie des fruits les plus consommés, c'est-à-dire de ceux dont la

---

1. La citation de cet agronome anonyme (signant « AC ») figure dans l'article suivant : « Wilson Popenoe. Culture de l'avocatier aux États-Unis ». *Revue de botanique appliquée et d'agriculture coloniale*. 1924, 4(30):101-6.

production excède 10 millions de tonnes (raisin, pommes, agrumes, mangues et bananes), mais l'intérêt croissant qu'on lui porte laisse supposer une poursuite de son développement. La consommation mondiale d'avocats augmente en effet de 3 à 4 % chaque année.

Le premier producteur demeure le Mexique (un tiers de la production mondiale), loin devant l'Indonésie, la République dominicaine, la Colombie, le Pérou, le Chili et les États-Unis. Les États-Unis et l'Union européenne (surtout France et Royaume-Uni) sont les principaux pays importateurs. Tandis que les États-Unis se fournissent principalement au Mexique, l'Europe s'approvisionne auprès du Pérou, du Chili, de l'Espagne et d'Israël.

Les variétés cultivées

Dès les années 1920, de très nombreuses variétés d'avocatiers sont obtenues et testées (entre 200 et 300). On estime aujourd'hui qu'il en existe plus de 500… Ces variétés sont issues des trois types majeurs, soit par sélection variétale (cultivars), soit par croisement entre avocats de deux types différents (hybrides).

Il existe trois types d'hybrides : mexicain x guatémaltèque (les plus populaires), mexicain x antillais, guatémaltèque x antillais. Des cultivars et hybrides obtenus à partir du type antillais furent jadis produits à grande échelle à Cuba et aux Antilles. Mais dans les années 1960, ces variétés antillaises (Trapp, Bonita, Pollock, etc.) ont été évincées au profit de celles issues des types mexicain et/ou guatémaltèque, préférées par les producteurs de Floride et de Californie. Aujourd'hui, ce sont ces dernières qui dominent le marché :

Hass (hybride mexicain x guatémaltèque) : c'est l'avocat le plus produit au monde, puisqu'il représente 80 % du marché. Il est le standard agricole au Mexique et couvre la plus grande part du marché américain. Pourtant, son histoire est assez récente, puisqu'il n'a été développé qu'à partir de 1920 par un facteur californien, M. Rudof Hass. Son calibre est très variable (80-350 g), avec toutefois un poids moyen autour de 250-300 g pour la plupart des fruits se retrouvant dans les étals. Il est de forme ovoïde, presque sphérique. Sa peau est épaisse, rigide, bosselée (verruqueuse), verte puis devenant noire à reflets violacés à maturité. Il se caractérise par une bonne durée de conservation et un goût très apprécié des consommateurs. Sa chair est ferme, d'une texture agréable, non fibreuse mais parfois légèrement granuleuse, et riche en huile (jusqu'à 30 %). On le trouve toute l'année en magasin, car plusieurs pays se relaient pour le produire sous diverses latitudes : principalement Mexique, mais aussi Espagne, Israël, Nouvelle-Zélande.

Fuerté (hybride mexicain x guatémaltèque) : c'est l'avocat le plus apprécié en France. Il s'agit d'un fruit à la peau assez fine, plutôt lisse, invariablement vert foncé, plutôt mat. Il a la forme typique d'une poire, d'assez gros calibre (250-400 g). La chair jaune pâle est fine, tendre et savoureuse, au goût de noisette prononcé, et très grasse (jusqu'à 25 %). Il supporte bien la réfrigération (+ 6 °C). La production est à peu près continue (Espagne, Israël, Afrique du Sud, Corse).

Ettinger (hybride mexicain x guatémaltèque) : le fruit est d'assez gros calibre (250-500 g) en forme de poire conférence (très allongée), à la peau vert vif, fine et brillante. On ne le trouve pas aussi facilement que les deux précédents, mais sa chair, très tendre à maturité, est délicate et savoureuse. Il est exclusivement produit en Israël.

Lula (hybride mexicain x guatémaltèque) : ce gros avocat (450-700 g) est renflé à la base, ayant presque la forme d'une calebasse. Sa peau est vernissée, lisse et verte. Sa chair est très tendre lorsqu'il est mûr à point. Produit dans les Antilles entre août et octobre, il est surtout destiné au marché local et il entre dans la recette traditionnelle du « féroce de morue ».

Nabal (cultivar de type guatémaltèque) : cette variété israélienne est un gros avocat presque rond, à peau lisse vert sombre veinée de noir. Sa chair ferme et très colorée est celle qui supporte le mieux la cuisson. De gros calibre (300-500 g), c'est l'avocat le moins gras de tous, et il se conserve bien au réfrigérateur, même après avoir été épluché. Il est produit de janvier à mars.

Autres variétés d'intérêt commercial : on les produit notamment dans certaines régions où les deux principales variétés s'acclimatent mal, ou bien à certaines périodes de l'année où elles prennent le relais du Hass ou du Fuerté. Il s'agit par exemple des variétés Zutano (chair fibreuse), Bacon (chair finement granuleuse), Pinkerton (fruit très allongé), Reed et Gwen (fruits globuleux), Ryan (proche du Hass), etc.

▶ **Les Français plébiscitent l'avocat!**
Avec plus de 1,5 kg par habitant et par an, la France est le plus gros consommateur d'avocats en Europe, se plaçant avant l'Espagne qui en est pourtant le plus gros (et presque le seul) producteur européen. Les variétés Fuerté et Hass représentent la plus grande partie des avocats vendus sur les étals hexagonaux.

La culture de l'avocatier

L'avocatier, arbre des forêts, se cultive dans des vergers (le terme « avocateraie » n'est pas encore déposé…). Sa culture requiert des températures relativement élevées, mais sans excès. En effet, le gel et les chaleurs extrêmes entraînent une baisse notable de la production fruitière. Par contre l'arbre tolère à peu près tous les terrains (sol acide ou basique), du moment qu'ils sont bien drainés, car l'humidité stagnante peut entraîner la mort des plantations. Les avocatiers apprécient les terrains pentus (à flanc de colline), mais s'adaptent également aux vallées fluviales. Les sites ensoleillés sont plus favorables, mais l'arbre se développe également en situation ombragée.

Les avocats ne mûrissent pas sur l'arbre, c'est-à-dire tant qu'ils n'ont pas été cueillis, même lorsqu'ils ont atteint leur pleine maturité. Si les fruits ne sont pas récoltés, ils peuvent rester sur pied jusqu'à un an après leur fructification. Ce n'est qu'après récolte que les fruits commencent à mûrir. Lors de cette étape, la chair devient plus tendre (sous l'action d'enzymes pectolytiques) et, dans certaines variétés, la peau passe du vert au noir violacé.

▶ **Cultiver l'avocat en pot ou au jardin**

Le noyau d'avocat est en fait, rappelons-le, un gros pépin, c'est-à-dire une graine entourée d'une enveloppe fine. En présence d'eau, il germe facilement. Vous pouvez donc planter directement un ou plusieurs noyaux, pointe vers le haut, enfouis au tiers dans une terre légère. Mais pour être plus sûr de la réussite, on recommande plutôt de les faire germer dans l'eau au préalable. Il suffit d'enfoncer trois cure-dents dans chaque noyau, à mi-hauteur, comme s'il avait trois bras. Déposez chacun d'eux, suspendu par ses «bras», au-dessus d'un verre moitié plein, afin que seule la base de chaque noyau entre en contact avec l'eau. Dès que les racines atteignent environ 2-3 cm, vous pourrez repiquer la jeune pousse dans un pot contenant du terreau humide. Il faudra ensuite maintenir la terre juste humide par des arrosages réguliers, et éventuellement vaporiser de l'eau sur le feuillage en période sèche. Il vous sera possible, au bout de quelques mois, de placer le ou les pots au jardin, voire de repiquer votre ou vos avocatiers, s'ils ne risquent pas d'y être exposés à des températures inférieures à -3 °C.

La production d'huile d'avocat

La présence d'huile dans la pulpe de l'avocat était déjà connue des Aztèques, qui désignaient parfois le fruit sous des appellations signifiant «beurre végétal» ou «poire à beurre». De nos jours, l'huile est extraite selon un procédé industriel, principalement à partir de la variété Hass, et plus secondairement Fuerté. Il s'agit d'un procédé mécanique, similaire à celui mis en œuvre pour l'huile d'olive, à la différence qu'il faut au préalable éplucher et dénoyauter les fruits! Après cette étape, la chair des avocats frais, bien mûrs, subit une courte étape de séchage, pour éliminer un maximum d'eau, puis elle est broyée pour former une pâte, et malaxée pendant 40-60 minutes à 45-50 °C, ce qui permet l'éclatement des cellules contenant l'huile (idéoblastes). Cette température est plus élevée que pour l'huile d'olive, mais ce processus est tout de même considéré comme une « extraction à froid » et n'affecte pas la qualité de l'huile. Après extraction, les phases aqueuse et huileuse sont séparées de la pulpe par décantation et centrifugation, puis l'eau est éliminée par une deuxième centrifugation. L'eau représente environ 60 % de la pulpe fraîche. Le rendement en huile, par rapport au poids de la chair, va jusqu'à 30 % pour les variétés les plus grasses. Les résidus (tout ce qui n'est ni huile, ni eau) représentent donc environ 10 % du poids de la matière première. Ils sont recyclés sous forme d'engrais destiné aux vergers ou d'aliments pour animaux.

L'huile d'avocat vierge, de pression à froid, n'est pas raffinée, et conserve par conséquent l'arôme de noisette et la couleur verte du fruit. Son usage culinaire reste assez méconnu, bien qu'elle présente de nombreux points communs avec l'huile d'olive et qu'elle ait un grand intérêt, aussi bien au plan gustatif que nutritionnel (nous y reviendrons plus loin). En fait, cette huile précieuse est principalement destinée à la cosmétique de luxe, notamment aux gammes bio. Il existe également une huile cosmétique plus bas de gamme, extraite par solvant et après chauffage à haute température, puis raffinée (désodorisée, décolorée). Cette huile, qui se présente comme un liquide jaune inodore, ne convient pas à la consommation alimentaire.

▶ **Les atouts beauté de l'avocat et de son huile**

En raison de ses propriétés nourrissantes et protectrices, de sa finesse et de son arôme délicat, l'huile d'avocat est une des plus appréciées en cosmétique naturelle. Elle pénètre rapidement dans la peau et laisse un toucher non gras. Elle convient non seulement aux soins des peaux de tous types, notamment des peaux sèches et/ou matures, mais aussi aux soins des ongles et des cheveux. L'avocat lui-même, lorsqu'il est bien mûr, est un ingrédient cosmétique très complet. Il est employé à l'état frais, mixé, sous forme de masque pour le visage ou les cheveux. Toutes les variétés conviennent, notamment l'avocat Hass, qui est le plus gras.

2

Un intérêt nutritionel avéré

Sous l'œil de la science

Armons-nous d'une loupe pour regarder plus intimement ce que contient ce fruit si particulier. Car pour être riche, il est riche, et pas seulement en huile. D'où les nombreux intérêts nutritionnels que les savants ont mis en évidence.

Sa composition

Voici ce qu'apportent approximativement 100 g de pulpe ou de chair d'avocat cru (soit environ un demi-avocat):

- eau: environ 74 %
- protéines: 2 g
- glucides: 3 g (dont sucre < 1 g)
- lipides (matières grasses): 16 g
- fibres: 5 à 6 g
- autres constituants: environ 1 % (dont minéraux, vitamines et nombreux nutriments protecteurs)
- valeur énergétique: 160-170 kcal
- indice antioxydant (ORAC): 782 (pouvoir antioxydant élevé)
- indice glycémique: ≤ 10 (IG bas)
- indice de satiété: 4,5 (pouvoir «coupe-faim» élevé)
- ratio oméga-6/oméga-3: 13/1 (ratio favorable)
- acides aminés essentiels: 9/9 (profil très favorable)
- profil acido-basique (indice PRAL): - 8,2 (aliment très alcalinisant)

La composition de l'avocat est donc bien différente de celle des autres fruits charnus, qui sont en moyenne plus riches en eau (85-90 %) et en sucres (5-10 %), mais bien plus pauvres en matières grasses et donc moins caloriques (50 kcal en moyenne). Quant aux différents indices évaluant son intérêt en nutrition et santé, ils sont tous favorables. Et s'ils vous semblent ésotériques, pas de souci, nous allons revenir sur chacun d'entre eux.

Protéines

Au plan quantitatif, l'avocat n'est pas très riche en protéines (2 %), toutefois, celles-ci ont la particularité de contenir 19 des 20 acides aminés existants, et surtout la totalité des 9 acides aminés dit essentiels. Ces constituants indispensables à la synthèse des protéines de l'organisme ne peuvent pas être synthétisés par le corps humain et doivent par conséquent être apportés par l'alimentation. Contrairement aux denrées animales, la plupart des aliments d'origine végétale n'apportent pas la totalité des acides aminés essentiels, raison pour laquelle les personnes suivant un régime végétalien ou vegan doivent les combiner pour éviter toute carence (par exemple en associant céréales + légumineuses). L'avocat, avec son profil complet, fait donc exception à la règle et peut être recommandé pour ce type de régime alimentaire.

Glucides

Comparé aux autres fruits, voire à certains légumes (carottes, betteraves…), l'avocat contient très peu de glucides (3 %). Un demi-avocat apporte moins d'un gramme de sucres. Ces derniers sont constitués d'une combinaison de sucrose, glucose et fructose, ainsi que d'un sucre rare et spécifique, le D-mannoheptulose. Des études scientifiques préliminaires montrent que ce sucre pourrait avoir des propriétés antidiabétiques (régulation du glucose sanguin) et favoriser la perte de poids.

Au final, l'avocat présente un indice glycémique très bas (10), c'est-à-dire qu'il fait très peu monter le taux de glucose dans le sang (glycémie). Il peut donc être recommandé en cas de diabète.

Lipides

Le terme de lipides désigne les matières grasses des aliments. Il s'agit de composés constitués principalement de glycérides, c'est-à-dire d'esters de glycérol et d'acides gras. C'est la nature de ces acides gras qui détermine la qualité des lipides. Le facteur déterminant est la présence ou non de doubles liaisons (liaisons insaturées) dans la molécule d'acide gras. On parle donc d'acides gras saturés (sans double liaison), d'acides gras monoinsaturés (une double liaison), ou d'acides gras polyinsaturés (plusieurs doubles liaisons). Bien que toutes ces formes soient indispensables, les aliments riches en acides gras insaturés présentent un meilleur profil santé que ceux qui n'apportent que des graisses saturées, notamment en termes de prévention des maladies cardiovasculaires.

La composition en acides gras de l'avocat est très comparable à celle de l'huile d'olive, en raison de sa richesse en acide oléique et de sa teneur respective en acides gras oméga-3 et oméga-6. La teneur moyenne d'un avocat en acides gras monoinsaturés (oléique et palmitoléique) est en effet de 76 %. Il contient également 12 % d'acides gras polyinsaturés (alpha-linolénique ou oméga-3, linoléique ou oméga-6) et 12 % d'acides gras saturés (palmitique et stéarique). En ce qui concerne les acides gras polyinsaturés, le rapport oméga-6 sur oméga-3 est de 13/1, ce qui est bien équilibré, puisque les nutritionnistes recommandent un rapport global dans l'alimentation voisin de 4/1. Ce qui signifie en clair que l'avocat, comme l'huile d'olive, apporte principalement des graisses monoinsaturées de bonne qualité, ainsi qu'une quantité appréciable d'oméga-3, mais sans excès d'oméga-6.

En fait, la différence majeure entre l'avocat et l'olive, réside dans sa richesse en insaponifiables. Le terme « insaponifiables » désigne un ensemble de substances ne faisant pas partie des lipides, mais qui sont solubles dans les matières grasses et qui se retrouvent dans les huiles végétales. Il s'agit par exemple de la vitamine E et de certains pigments. Lorsqu'une huile est riche en insaponifiables, cette faction est visible, car elle forme un trouble, voire un dépôt au fond de la bouteille. Lorsque l'on fabrique le savon (processus de saponification), seuls les vrais lipides se combinent à la soude ou à la potasse, et le résidu est appelé insaponifiables, ce qui signifie littéralement « que l'on ne peut pas transformer en savon ». Or, s'il s'agit d'un déchet en savonnerie, cette faction est au contraire considérée comme une grande richesse en nutrition et en cosmétique. En effet, elle contient de nombreux nutriments dont le rôle protecteur pour la santé et la beauté est avéré.

Au plan quantitatif, l'huile d'avocat contient des taux records d'insaponifiables (5-15 %, contre moins de 2 % pour l'huile d'olive). Au plan qualitatif, il s'agit de : phytostérols (bêta-sitostérol, campestérol et stigmastérol), vitamine E (tocophérols et tocotriénols), tanins et pigments (chlorophylle, polyphénols, proanthocyanidines et caroténoïdes), squalène, stanols. La plupart de ces composants sont reconnus pour exercer des propriétés antioxydantes puissantes, sur lesquelles nous reviendrons en détail plus loin.

Vitamines

L'avocat présente des teneurs élevées en certaines vitamines, ainsi qu'en nutriments de type vitaminique tels que la choline. Le bêtacarotène, la vitamine C et le groupe des vitamines B sont hydrosolubles et on les trouve uniquement dans la chair de l'avocat. La vitamine E est liposoluble ; on va donc la trouver à la fois dans la chair et dans l'huile d'avocat.

Le tableau ci-dessous donne les teneurs moyennes en vitamines de l'avocat (sources : ANSES ; Whiley, Schaffer et Wolstenholme pour la vitamine B3). Pour que les chiffres soient plus parlants, nous les avons comparés aux apports journaliers recommandés par les autorités de santé (AJR). Les teneurs moyennes sont bien sûr données à titre indicatif, car elles varient selon la fraîcheur et la qualité de l'avocat, et même son stade de maturité. Notons au passage que la vitamine B12 est absente, comme dans tous les aliments d'origine végétale (raison pour laquelle les végétaliens et les vegans doivent prendre un supplément en vitamine B12).

VITAMINE	POUR 100 G	% DES AJR
Bêta-carotène (provitamine A)	60 mg	2,5 %
Vitamine E (alpha-tocophérol)	2,36 mg	20 %
Vitamine C (acide ascorbique)	8 mg	13 %
Vitamine B1 (thiamine)	77 µg	7 %
Vitamine B2 (riboflavine)	153 µg	11 %
Vitamine B3 (acide nicotinique)	1,3 mg	8 %
Vitamine B5 (acide pantothénique)	0,93 mg	15 %
Vitamine B6 (pyridoxine)	0,24 mg	17 %
Vitamine B8 (biotine)	5 µg	10 %
Vitamine B9 (acide folique)	78 µg	39 %
Vitamine B12 (cobalamine)	0	0
Vitamine K	21 µg	18 %

Minéraux

L'avocat est une bonne source de cuivre (21 % des AJR) et de potassium (10 % es AJR), et plus secondairement de magnésium, manganèse, zinc, phosphore (6-7 % des AJR pour chacun). Avec 7 mg/100 g (0,007 %), il est considéré comme très pauvre en sodium, et donc un allié des régimes hyposodés, recommandés notamment en cas d'hypertension artérielle et/ou de tendance à la rétention d'eau.

Facteurs protecteurs

Comme les vitamines, ils sont présents à l'état de traces dans les aliments. Ils n'en contribuent pas moins aux effets santé des fruits et légumes. S'y ajoutent les fibres, qui n'agissent pas seulement sur le transit…

Fibres alimentaires: malgré les apparences et en dépit d'une texture fondante, l'avocat est deux à trois fois plus riche en fibres que la plupart des autres fruits (5-6 %, contre 2 % en moyenne). Il apporte environ 27 % des AJR en fibres pour les femmes et 17 % pour les hommes. L'avocat contient à la fois des fibres insolubles (de type cellulose) et des fibres solubles (de type pectine). Les fibres insolubles sont surtout connues pour leur effet stimulant sur le transit intestinal, tandis que les fibres solubles sont adoucissantes et équilibrantes pour la flore digestive. Les observations scientifiques ont montré que l'ensemble des fibres apportées par les fruits et légumes augmentent la sensation de la satiété, régulent l'appétit et contribuent à la prévention du diabète de type 2, des maladies cardio-vasculaires et du cancer du côlon.

Polyphénols, procyanidines et caroténoïdes: l'avocat contient notamment des acides phénoliques (perseitol, acides quinique, chlorogénique, trans-cinnamique, pantothénique et abscisique, férulique, paracoumarique), ainsi que de l'épicatéchine et de la catéchine, de la lutéine et des xanthophyllines (zéaxanthine). Ces molécules, de la famille des tanins et des pigments, sont surtout connues pour leurs propriétés antioxydantes (voir p. 37).

Phytostérols: l'avocat est riche en phytostérols, et principalement en bétasitostérol. Celui-ci est présent à hauteur de 200-400 mg pour 100 g, soit 10 à 20 % de la quantité de 2000 mg à partir de laquelle il a des effets significatifs sur le cholestérol (qu'il abaisse légèrement).

Glutathion : le glutathion est un antioxydant très puissant, présent dans l'avocat à des concentrations beaucoup plus élevées que dans les autres fruits (19 mg dans un demi-avocat). Bien qu'il soit scindé au cours du processus de digestion, une étude a montré que le glutathion apporté par l'alimentation avait des effets positifs sur la santé.

Selon une synthèse publiée en 2013 par deux nutritionnistes (sources : Dreher et Davenport), les quantités apportées par une portion d'avocat sont significatives (c'est-à-dire capables d'exercer des effets positifs sur la santé) pour plusieurs composants majeurs. Il s'agit de : fibres alimentaires, bêtacarotène, vitamine E, vitamine K, vitamines du groupe B, choline, lutéine/zéaxanthine, glutathion, acides gras monoinsaturés. Les autres facteurs protecteurs, présents en quantités moins significatives, contribuent toutefois à enrichir l'alimentation.

Acides gras insaturés, acides aminés essentiels, vitamines, potassium, fibres solubles, polyphénols, phytostérols, glutathion… Tout cela c'est bien beau, mais une fois notre avocat bel et bien mangé, quel bénéfice allons-nous en tirer ?

Une composition équilibrée et riche

En 1992, l'agronome américain B.O. Bergh, qui a contribué au développement de la culture de l'avocat aux États-Unis, a décrit celui-ci comme étant « un fruit d'intérêt nutritionnel majeur ». Effectivement, à l'état frais, il est plus équilibré et plus complet que la plupart des aliments. Il associe une grande richesse en fibres, matières grasses de haute qualité, minéraux et nutriments, à une faible teneur en sucre et en sodium. Ce profil très spécifique en fait une alternative remarquable aux aliments industriels contribuant à la « malbouffe » (trop sucrés, trop salés, sources de mauvaises graisses).

Une source de «bonnes graisses»

L'avocat ayant la réputation d'être un aliment gras (en moyenne 16 % de matières grasses), certains évitent de le consommer par crainte de ses effets sur le cholestérol. Ce qui est injustifié, car plus de 70 % de ces matières grasses sont constituées d'acides gras monoinsaturés, associés à une faible teneur en acides gras saturés et polyinsaturés (avec quelques variations selon la variété et le stade de maturité). Or, il est largement admis que les acides gras monoinsaturés abaissent le taux sanguin de «mauvais cholestérol» (LDL) au profit du «bon cholestérol» (HDL). Des études remontant aux années 1990 ont en effet confirmé que les personnes ayant une alimentation riche en avocat présentaient, par rapport à une population témoin, un taux moyen plus faible de mauvais cholestérol, un poids corporel plus bas et une plus faible incidence des accidents vasculaires.

Des propriétés antioxydantes

L'activité antioxydante de tout aliment est quantifiable grâce à des indices tels que le TAC *(Total Antioxidant Capacity)* et l'ORAC *(Oxygen Radical Absorbance Capacity)*. L'avocat se caractérise par un indice TAC de 1933 µmol/100 g et un ORAC de 782 µmol TE/100 g. Il se place ainsi dans la catégorie des produits à pouvoir antioxydant élevé. Il se classe à peu près à égalité avec les cerises, oranges, raisins, kiwi, épinards, brocolis et betteraves rouges. Il reste toutefois loin derrière les champions (cacao, thé vert, açai, argousier, canneberge, fruits rouges, grenade, pruneaux et raisins secs, ail, choux et courges).

Une telle performance n'a vraiment rien de surprenant, car l'avocat contient un très grand nombre de facteurs antioxydants: dans la phase aqueuse de la chair (vitamine C, glutathion), dans la fraction lipidique (persénones A et B, terpénoïdes), dans les insaponifiables (bêtacarotène, vitamine E, vitamine C, caroténoïdes, polyphénols, phytostérols, etc.). Grâce à leur action combinée, l'avocat aide l'organisme à lutter contre les radicaux libres, notamment l'anion superoxyde (O_2^-) et l'oxyde nitrique (NO). Ces sous-produits du métabolisme sont instables et donc très réactifs, capables d'initier l'oxydation de nombreuses molécules de notre corps, ce qui entraîne des anomalies cellulaires. Or, les molécules ou les cellules altérées sont le plus souvent détruites par l'organisme, ce qui accroît la libération d'oxygène et donc de radicaux libres. C'est pourquoi l'on parle de réaction en chaîne. Et lorsqu'elles ne sont pas détruites, les structures oxydées sont généralement « boiteuses » : elles assurent mal leur fonction, voire plus du tout, ce qui peut créer un encrassement de l'organisme et engendrer des maladies. Au final, les radicaux libres sont impliqués dans la genèse de nombreuses anomalies ou maladies telles que : vieillissement prématuré, cataracte, dégénérescence maculaire liée à l'âge, cancer (certains types, liés à des mutations cellulaires), arthrose, douleurs diffuses, athérosclérose et maladies cardiovasculaires, cellulite, blanchissement des cheveux, rides et taches cutanées, etc. Les antioxydants naturels, à l'instar de ceux que l'on retrouve dans l'avocat, agissent notamment en s'opposant à l'oxydation du « mauvais cholestérol » (low density lipoprotein ou LDL), qui participe au dépôt de plaques d'athérome dans les artères, et en limitant les altérations de l'ADN responsables de mutations cellulaires, impliquées entre autres dans certains cancers. Certains ont des actions plus spécifiques, comme la lutéine, qui protège contre la dégénérescence maculaire liée à l'âge (DMLA).

En plus de sa teneur naturelle en antioxydants, l'avocat pourrait également agir indirectement en favorisant l'absorption par les intestins d'antioxydants apportés par d'autres sources alimentaires. En effet, plusieurs études ont démontré que la présence d'avocat ou d'huile d'avocat améliorait la biodisponibilité des caroténoïdes apportés par l'alimentation, tels que le bêta-carotène, le lycopène, et la vitamine A.

Des calories qui respectent la ligne

L'avocat apporte en moyenne 160-170 kcal aux 100 g. C'est peu par rapport à beaucoup d'aliments industriels, mais c'est un record parmi les fruits et légumes ! Par contre, il présente un indice glycémique très bas (≤10), une caractéristique considérée comme favorable au contrôle du poids.

Il est souvent conseillé d'éviter l'avocat lorsqu'on essaie de perdre du poids. Il semble que ce soit une idée fausse, selon ce qu'indiquent les résultats d'observations effectuées dans les années 1990 sur des personnes consommant régulièrement de l'avocat et dont le poids était inférieur à une population témoin. Ces observations ont été confirmées par une étude publiée en 2005 et conduite sur des personnes en surpoids suivant un régime hypocalorique. Le fait de remplacer presque totalement l'apport en matières grasses par la même quantité d'avocat pendant six semaines a amélioré la perte de poids. Lors d'une autre étude (2013), il est apparu que le fait de consommer un demi-avocat au déjeuner permettait de maintenir la satiété et diminuait la prise de nourriture sur l'ensemble de la journée.

Selon les chercheurs, les acides gras monoinsaturés de l'avocat entraîneraient moins de dépôts graisseux que les acides gras polyinsaturés, et stimuleraient davantage le métabolisme que les acides gras saturés. Ils seraient donc des alliés de choix pour un régime minceur.

De plus, la consommation régulière d'avocat serait associée à une meilleure régulation de l'appétit, l'avocat apportant une bonne sensation de satiété, ainsi qu'une amélioration globale du régime alimentaire. Il en résulterait une réduction du risque du syndrome métabolique (triade surpoids, hypertension, diabète). Cet effet « coupe-faim » serait dû notamment à la présence de fibres alimentaires, à la fois solubles et insolubles.

Un aliment alcalinisant

L'équilibre acido-basique de l'organisme est un paramètre encore assez mal connu du grand public et des médecins. Pourtant, les naturopathes y accordent une grande importance. Selon cette école, pour fonctionner correctement, le pH de notre corps doit se situer dans une zone d'équilibre, ni trop acide, ni trop alcaline (basique). Cet équilibre dépend en grande partie de l'alimentation, or l'alimentation moderne a trop tendance à acidifier l'organisme, ce qui aboutirait, entre autres, à un état de fatigue, de fragilité, à des douleurs diffuses. Avec un indice PRAL de -8,2, l'avocat se situe parmi les aliments très alcalinisants. Il est donc à privilégier pour rétablir cet équilibre.

Une bonne tolérance alimentaire

L'avocat est très digeste et n'est pas connu pour induire la moindre intolérance alimentaire. Il ne contient ni gluten, ni lactose. C'est un fruit qui convient tout à fait aux nourrissons et aux jeunes enfants. Sa chair douce, crémeuse, à l'arôme délicat, est très agréable à leur palais. Il est très digeste et régule le transit intestinal. Il constitue une bonne source, très complète, de nutriments essentiels à leur croissance, notamment d'acides aminés et d'acides gras insaturés.

Notons toutefois que les cas d'allergie à l'avocat ne sont pas exceptionnels. Il s'agirait, dans la plupart des cas, d'allergies croisées avec le latex et/ou avec la banane ou les fruits exotiques en général (sources : Baudevin et Rapin ; Ito ; Abrams, Becker et Gerstner). L'allergie directe à l'avocat semble très rare. Quoi qu'il en soit, il convient de consommer l'avocat avec prudence, voire de l'éviter, si l'on est allergique au latex et/ou aux fruits exotiques.

Pour finir, certaines personnes traitées par des anticoagulants de la famille des antivitaminiques K (warfarine, Coumarine®) s'inquiètent de la présence de vitamine K dans l'avocat, qui pourrait interagir avec leur traitement. Or, ceci n'est pas à craindre, car la teneur en vitamine K d'un avocat est 150 fois plus faible que la dose de 1 000 µg susceptible d'interagir avec les médicaments contenant de la warfarine (sources : Dreher et Davenport).

Des vertus thérapeutiques

Au-delà de son profil nutritionnel remarquable, l'avocat est également connu et étudié pour ses propriétés thérapeutiques. Celles-ci, déjà connues des anciens Amérindiens, persistent dans de nombreuses médecines traditionnelles, et sont de plus en plus confirmées par la recherche scientifique.

Ses usages médicinaux traditionnels

En fait, on devrait ici parler de l'avocatier plutôt que de l'avocat, car ce sont surtout les feuilles et les noyaux qui sont employés en médecine traditionnelle. Par exemple, au Pérou, au Brésil, au Panama et à Cuba, la feuille d'avocatier, préparée en infusion ou en décoction, soulage l'œdème, la rétention d'eau, les rhumatismes et la diarrhée. Au Bélize, un « café » préparé avec des graines torréfiées, est réputé contre la constipation. En ce qui concerne plus précisément le fruit, au Mexique, on applique des cataplasmes de pulpe malaxée pour soulager les tumeurs, et au Pérou, le jus et la pulpe sont employés contre certaines affections cutanées (dermatite, séborrhée) et contre les problèmes capillaires (chute des cheveux, pellicules).

Ce qu'en disent les études scientifiques récentes

Action préventive cardiovasculaire : en se basant sur les usages médicinaux de la graine (noyau) d'avocat, des études récentes ont montré qu'elle exerçait effectivement des propriétés intéressantes contre l'hypertension, les maladies inflammatoires et le diabète. Ces propriétés seraient dues entre autres à sa richesse en polyphénols (source : Davas, Shegog, Ziegler et Lambert). En ce qui concerne le fruit, on sait qu'il apporte des nutriments protecteurs connus pour leurs effets préventifs sur les maladies cardiovasculaires (antioxydants, acides gras insaturés). Rappelons également que l'avocat est une bonne source d'acide folique (vitamine B9). Or, la carence en cette vitamine est connue pour fragiliser la paroi interne des artères et ainsi contribuer à la genèse des plaques d'athérome. De fait, dès les années 1990, de nombreuses études ont confirmé les effets favorables de la consommation d'avocat sur les lipides sanguins (abaissement du « mauvais cholestérol », augmentation du « bon cholestérol ») et sur la réduction du risque d'accidents cardiovasculaires (source : Dreher et Davenport).

Propriétés anticancéreuses : l'avocat contient un certain nombre de composants connus pour exercer des propriétés anticancéreuses : caroténoïdes, terpénoïdes, D-mannoheptulose, persénone A et B, polyphénols et glutathion, persine (source : Dreher et Davenport). Bien qu'ils soient présents à l'état de traces, les concentrations atteintes sont, pour la plupart, potentiellement efficaces. Actuellement, les études relatives à un réel effet anticancéreux des constituants de l'avocat en sont au stade préliminaire, mais des résultats encourageants ont été enregistrés vis-à-vis du cancer de la sphère ORL, du cancer de l'estomac et du cancer du sein.

Propriétés antimicrobiennes : une étude de 2013 a montré que l'avocat (type mexicain, clone PaDef), contenait une molécule de la famille des « défensines » (peptides), exerçant des propriétés antibactériennes vis-à-vis de deux germes pathogènes majeurs, *Escherichia coli* et *Staphylococcus aureus*, impliqués dans certaines infections de l'intestin (source : Guzmán-Rodríguez). On savait déjà que les fibres de l'avocat favorisaient l'équilibre de la flore digestive, mais cette étude suggère que le fruit pourrait assainir le milieu intestinal et prévenir certains troubles digestifs d'origine infectieuse. Ces propriétés pourraient être renforcées par certaines substances présentes dans la fraction insaponifiable, comme la zéaxanthine, qui protège de l'infection par d'*Helicobacter pylori*, une bactérie impliquée dans la majorité des ulcères digestifs.

3

L'avocat dans nos assiettes

Guide d'achat

Comme ils sont cueillis encore verts et fermes, les avocats supportent bien le transport et le stockage avant maturité. Toutefois, le fruit mûri au soleil en plein air est plus riche en huile et en minéraux, et généralement plus savoureux. Vous pouvez donc les préférer sous cette forme, c'est-à-dire vendus en barquettes (pour éviter qu'ils ne s'abîment lors du transport ou du stockage) et avec la mention « mur à point ». Ces avocats sont généralement de bonne qualité, mais leur prix est plus élevé.

Si vous souhaitez acheter votre avocat en vrac, le jour même de sa consommation, il suffit de le palper : il faut sentir une petite dépression se former en le pressant légèrement avec le pouce, vers le haut du fruit, c'est-à-dire sous le pédoncule. Ceci ne garantit toutefois pas du risque de découvrir, en l'ouvrant, des parties atteintes par le pourrissement (noirâtres). Par contre, si vous l'achetez vert et ferme, il pourra mûrir chez vous dans un endroit chaud, par exemple derrière une fenêtre exposée au soleil. Pour accélérer le processus, vous pouvez le placer pendant une nuit dans un sac en papier avec une pomme ou une banane très mûre. Ces fruits émettent en effet de l'éthylène, qui accélère le processus de mûrissement. Pour vérifier ensuite si le fruit est mûr ou non, procédez comme en magasin, en exerçant une pression près du pédoncule.

▶ **Conserver les avocats**

Peu mûrs (encore fermes), les avocats se gardent jusqu'à 5 jours à l'air ambiant. Si vous les placez au réfrigérateur, dans un compartiment pas trop froid (6 °C minimum), ils se garderont quelques jours de plus. Bien mûrs, vous pourrez les conserver 2 ou 3 jours au réfrigérateur. Si vous n'avez consommé que la moitié d'un avocat, replacez le noyau au centre de l'autre partie et citronnez la surface, puis placez-le à l'envers et à l'abri de l'air. Vous pouvez aussi mixer la chair avec du citron, puis la congeler dans un petit récipient; elle se gardera ainsi jusqu'à 5 mois.

Le brunissement (pourriture) de la chair de l'avocat sous sa peau est le signe de maladies occasionnées par des champignons microscopiques (*Colletotrichum gloeosporioides*, *Botryosphaeria spp.*) ou plus rarement des bactéries (*Erwinia herbicol*, *Erwinia carotovora*). Le développement de ces micro-organismes est sans danger pour l'homme, mais rend l'avocat inconsommable. Le fruit est généralement contaminé sur l'arbre, mais la maladie se développe après récolte, au cours de son mûrissement. Dans le cas des maladies à champignons, de petites taches noires ou brun-rouge, presque circulaires, apparaissent sur la peau et peuvent s'élargir en véritables plaques. La pourriture gagne ensuite la pulpe sous-jacente, parfois jusqu'au noyau. Ces lésions ne s'accompagnent pas d'une altération du goût ou de l'odeur du fruit. Dans le cas d'atteinte bactérienne (rare), la peau du fruit prend une teinte argentée et se ramollit. La chair est marron, presque molle et d'odeur putride.

Pour se prémunir de ce problème, particulièrement fréquent avec les avocats Fuerté, observez bien la peau et évitez de choisir un fruit présentant des taches noires étendues. Ne

VARIÉTÉ	POIDS	FORME	PEAU	CHAIR (À MATURITÉ)	POURRISSEMENT (CHAIR BRUNÂTRE)
Hass	Variable. Calibre standard 250-300 g	Presque sphérique	Épaisse, bosselée, noire à reflets violacés	*Aspect* Jaune cerclée de vert *Saveur* Fondante, arôme discret	Risque modéré (variété assez peu sensible)
Fuerté	Moyen (250-400 g)	En poire	Lisse, vert foncé, assez fine	*Aspect* Vert pâle cerclée de vert plus soutenu *Saveur* Chair fondante, crémeuse, arôme de noisette	Risque élevé (variété sensible)
Ettinger	Gros (250-500 g)	En poire très allongée	Lisse, fine, vert vif	*Aspect* Vert pâle cerclée de vert plus soutenu. *Saveur* Très tendre à maturité, délicate et savoureuse	Aucun risque (variété résistante)

Source : Yacoby et al. Appl Environ Microbiol. Mar 2000 ; 66(3) : 1026-1030).

choisissez pas non plus de fruit présentant des zones enfoncées et molles lorsqu'on le palpe. Ces zones sont généralement le résultat d'un stockage à des températures trop basses, qui fragilisent les fruits et favorisent les maladies.

Catégories et labels

Le classement des fruits et légumes selon les catégories de qualité est réglementé au niveau Européen (règlement UE n° 543/2011). L'avocat fait partie des fruits disposant d'une norme internationale CEE-ONU, qui se définit par le classement en 3 catégories :

- La catégorie extra ou « qualité supérieure » (étiquette rouge) : aucun défaut.
- La catégorie I ou « bonne qualité » (étiquette verte) autorise de légers défauts n'excédant pas 4 cm^2 de surface.
- La catégorie II ou « qualité marchande » (étiquette jaune) : défauts < 6 cm^2

En plus de l'examen des fruits que l'on achète, l'indication de la catégorie sur la pancarte informative est un bon critère de choix quant à sa qualité. Notamment, les avocats de qualité extra (aucune tache) présentent un risque très faible de pourriture noire.

Par ailleurs, les avocats peuvent être de qualité biologique (label AB ou label européen). Les avocats bio sont le plus souvent commercialisés dans des magasins spécialisés.

- **L'avocat bio**
  Bien qu'il ne pas soit obligatoire de l'indiquer sur l'affichage, de nombreux avocats sont traités chimiquement après récolte avec du thiabendazole, comme certains agrumes et comme les bananes. Les labels bio français (AB) ou européen (feuille formée d'étoiles vertes) garantissent que l'avocat est issu de l'agriculture biologique et n'a pas été traité après récolte. En France, la Corse s'est spécialisée dans la production d'avocats biologiques.

Quelles variétés choisir?

Le tableau page ci-contre permet de comparer les caractéristiques des deux variétés les plus vendues au monde et que vous êtes le plus susceptible de trouver dans les étals (Hass et Fuerté). Nous y avons ajouté Ettinger (avocat d'Israël), que l'on trouve assez souvent en France. Notez que les variétés Bacon et Zutano, produites en petites quantités en Corse (généralement en bio), ont des caractéristiques proches respectivement de Hass et du Fuerté.

L'avocat en cuisine

L'avocat est un fruit facile à travailler, en raison de sa chair tendre, ne nécessitant pas de cuisson, et de son goût neutre.

Pour peler un avocat, pensez à le faire rouler préalablement dans les mains, la peau se détachera plus facilement. Une fois qu'il est pelé, sa chair est très sensible à l'oxydation et a tendance à noircir, ce qui n'est pas grave, mais inesthétique. Pour l'empêcher de noircir, il suffit de l'arroser d'un filet de jus de citron, ou, si l'on veut éviter le goût acide du citron,

Autour du monde

Les Amérindiens des régions tropicales consomment simplement les avocats coupés en deux et salés en les accompagnant de tortillas et de café, ce qui constitue un repas sur le pouce plutôt complet.

Au Guatemala, un petit-déjeuner gourmand consiste à chauffer au four, à basse température, des demi-avocats qui sont ensuite garnis d'œufs brouillés et d'anchois. Dans certains restaurants, un avocat bien mûr est placé sur la table et servi avec les plats chauds au moment de manger, un peu comme nous faisons avec le beurre. Car en fait, si nous le considérons comme un produit gastronomique, en Amérique centrale l'avocat a plutôt l'image de « beurre du pauvre ».

Au Brésil, les avocats sont davantage considérés comme des fruits de dessert, et préparés en sorbets, crèmes glacées ou milk-shakes. Une sauce tiède à base d'avocat mixé est employée en guise de crème anglaise, sur les pâtisseries. Une autre préparation sucrée, plus proche du coulis, consiste à mixer la chair d'avocat avec du jus d'ananas et de la crème fraîche, et à en napper les desserts.

En Nouvelle-Zélande, on fabrique traditionnellement de la glace à l'avocat en mixant la chair avec du jus de citron, du jus d'orange, des zestes d'orange râpés, du lait et du sucre. Le tout est passé à la sorbetière jusqu'à obtention d'une glace crémeuse.

À Hawaï, les populations d'origine asiatique consomment l'avocat sucré, et le servent en salade avec d'autres fruits tels qu'ananas, dattes, ou bananes.

À Java, on prépare une crème dessert en mixant la chair d'avocat avec du café fort et du sucre.

- citron, lime, orange, pamplemousse, kiwi, ananas : ils apportent leur note acidulée, et la vitamine C qui fait défaut à l'avocat.
- tomates, concombres, melon d'Espagne, pastèque : ils donnent un petit coup de frais aux salades d'avocat, et comme ils sont très peu caloriques, ils font avantageusement baisser le bilan énergétique des assiettes.
- yaourt, fromage blanc : ils apportent des protéines, du calcium. Mais surtout, ils permettent de confectionner des sauces légères (avec moutarde, citron, aromates) qui accompagnent idéalement l'avocat. Préférez des yaourts ou fromages brassés, allégés, un peu acidulés. Notez que les yaourts et fromages de chèvre forment une bonne association de goût avec l'avocat.
- crevettes, crabe, thon au naturel, algues séchées ou en terrine : ils apportent protéines, minéraux et un goût marin délicat.
- épices et aromates : ils relèvent l'avocat tout en augmentant ses propriétés antioxydantes. Quelques suggestions : coriandre en poudre ou fraîche (cilantro), poivre vert, poivre du Sichuan, curcuma, fenugrec, mélanges indiens de type curry ou tandoori, ras el-hanout, safran, persil, cerfeuil, basilic, estragon, échalote, ail écrasé, piment doux (type Espelette ou paprika), etc. Pour les plats sucrés, pensez à la vanille et à l'anis vert.
- sauces et condiments : à employer pour relever les sauces au yaourt (Tabasco, sauce soja, sauce Worcestershire, moutarde, wasabi, raifort au vinaigre, câpres, sauce piccallili ou Savora). Attention, n'ajoutez l'assaisonnement qu'après

avoir incorporé ces condiments puis goûté le mélange, car ils sont généralement relevés en sel et/ou en épices.

- vinaigres doux: même s'il s'agrémente bien du citron, l'avocat n'aime guère l'excès d'acidité. Préférez l'assaisonner avec du vinaigre de riz, du vinaigre balsamique traditionnel ou blanc, ou un vinaigre de cidre très doux.

Pensez à l'huile d'avocat

Connue principalement pour son usage cosmétique, l'huile vierge d'avocat est pourtant un ingrédient qui convient parfaitement à la cuisine. Proche de l'huile d'olive, dont elle a toutes les vertus nutritionnelles, elle supporte la cuisson à haute température. Son point de fusion, c'est-à-dire la température à partir de laquelle elle produit des fumées, est en effet particulièrement élevé (270 °C). De plus, son arôme discret et agréable convient mieux à certains usages que l'huile d'olive, très typée et plutôt destinée à la cuisine d'inspiration méditerranéenne. Vous pouvez donc penser à l'huile d'avocat pour la pâtisserie, les plats exotiques (wok, cuisine thaïe), la cuisson des mets raffinés aux saveurs subtiles (fruits rôtis, coquille Saint-Jacques, filets de sole, ris de veau, par exemple). Elle convient aussi très bien à la réalisation de sauces salade délicatement parfumées. On trouve dans certains pays, des huiles d'avocat naturellement aromatisées (ail, piment, citron, orange), que vous pouvez préparer vous-même en y faisant macérer les aromates (légèrement séchés au préalable), pendant au moins trois semaines à température ambiante, puis en filtrant la préparation.

L'huile d'avocat n'a pas particulièrement tendance à rancir, car elle contient assez peu d'acides gras polyinsaturés (les plus sensibles à l'oxydation) et elle renferme des antioxydants naturels, notamment de la vitamine E. Les indices d'acidité et de peroxyde indiquent une excellente stabilité.

Pour bénéficier de tous ses atouts nutritionnels (source de bonnes graisses et nutriments protecteurs, absence de cholestérol), choisissez une huile bio, ou au moins vierge, de première pression à froid, et surtout non raffinée. Comme elle contient des pigments provenant de la pulpe (chlorophylle et caroténoïdes), elle se reconnaît à sa belle couleur vert jaune. Le léger trouble, voire le dépôt au fond de la bouteille, ne doivent pas inquiéter : ils traduisent sa richesse en insaponifiables.

Les recettes

1

Petit déjeuner

Pancakes tout verts avocat, petits pois et aneth

POUR 10 PANCAKES

50 g de petits pois
2 œufs
20 cl de lait demi-écrémé
200 g de farine de blé
1 sachet de levure chimique
1 avocat
2 brins d'aneth frais
20 g de beurre
Sel et poivre

Faites cuire les petits pois 5 minutes dans un grand volume d'eau bouillante salée.

Cassez les œufs et séparez les jaunes des blancs. Battez les jaunes avec le lait, le sel et le poivre. Incorporez la farine et la levure. Mélangez jusqu'à obtention d'une texture lisse.

Pelez l'avocat, coupez-le en deux et ôtez le noyau. Écrasez sa chair à la fourchette. Hachez finement l'aneth. Incorporez la purée d'avocat et l'aneth à l'appareil à pancakes. Mélangez bien.

Montez les blancs en neige et incorporez les délicatement à la pâte.

Faites fondre le beurre dans une poêle et versez une louche de pâte. Laissez cuire 2 minutes de chaque côté. Répétez l'opération avec la pâte restante.

Omelette fourrée à la salsa de tomate et avocat

Dans un saladier, fouettez vivement les œufs avec la noix de muscade, le sel et le poivre.

Pelez les avocats, coupez-les en deux et retirez les noyaux. Coupez les tomates et les avocats en petits cubes. Pelez et hachez finement l'oignon. Ciselez la ciboulette.

Incorporez les légumes, la ciboulette et l'emmental dans le saladier. Mélangez délicatement.

Faites chauffer 1 cuillerée à soupe d'huile d'olive une poêle. Ajoutez la moitié de la préparation. Lorsque la base de l'omelette commence à prendre, étalez 2 cuillerées à soupe de légumes sur le dessus. Le centre doit être encore crémeux. Pliez l'omelette en deux et faites-la glisser dans une assiette. Préparez de la même manière la seconde omelette avec le reste des ingrédients. Dégustez aussitôt.

POUR 2 PERSONNES

4 œufs

1 pincée de noix de muscade

2 avocats

2 tomates

1 oignon rouge

5 brins de ciboulette

100 g d'emmental râpé

10 cl à soupe d'huile d'olive

Sel et poivre

Œufs brouillés aux herbes fraîches et à l'avocat

POUR 4 PERSONNES

10 œufs
5 cl de crème fluide
10 brins de ciboulette
2 brins de coriandre
2 brins de persil plat
2 avocats
20 g de beurre
Sel et poivre

Fouettez les œufs avec la crème. Salez et poivrez. Hachez finement les herbes fraîches, ajoutez-les aux œufs et mélangez. Coupez les avocats en deux, ôtez la peau et les noyaux. Détaillez la chair en fines tranches.

Faites fondre le beurre dans une poêle et versez les œufs. Remuez sans cesse à l'aide d'une cuillère en bois. Quand les œufs ont pris une consistance crémeuse, retirez la poêle du feu. Servez aussitôt avec les tranches d'avocat et quelques herbes pour décorer.

Œufs Bénédicte à l'avocat

Portez à frémissement un grand volume d'eau vinaigrée. Cassez un œuf dans un petit récipient et faites-le glisser délicatement dans l'eau. À l'aide d'une cuillère en bois, ramenez le blanc vers le centre. Laissez cuire 4 minutes. Retirez l'œuf, déposez-le sur du papier absorbant et répétez l'opération avec les œufs restants.

Préparez ensuite la sauce hollandaise. Dans une petite casserole au bain-marie, battez les jaunes d'œufs avec le jus de citron et l'eau jusqu'à ce que le mélange devienne onctueux. Sans cesser de fouetter, ajoutez le beurre en plusieurs fois. Salez et poivrez.

Pelez l'avocat, coupez-le en deux et ôtez le noyau. Coupez la chair en fines tranches. Hachez finement la ciboulette.

Tranchez les muffins en deux et faites-les griller. Dressez des tranches d'avocat et un œuf sur chaque demi-muffin. Nappez de sauce et parsemez de ciboulette hachée.

POUR 2 PERSONNES

1 cuillerée à soupe de vinaigre

4 œufs

1 avocat

5 brins de ciboulette

2 muffins

Sauce hollandaise

2 jaunes d'œufs

1 cuillerée à soupe d'eau froide

1 cuillerée à soupe de jus de citron

125 g de beurre

Sel, poivre

2

Pour l'apéritif

Tempura de homard et avocat à la noix de coco

POUR 4 PERSONNES

2 queues de homard

1 litre d'huile de friture

1 blanc d'œuf

200 g de farine de blé

½ cuillerée à café de levure chimique

50 g de noix de coco râpée

2 avocats

10 cl de chutney de mangue

Plongez les queues de homard dans un grand volume d'eau salée et laissez-les cuire 5 minutes. Égouttez-les et placez-les aussitôt dans un grand volume d'eau glacée pour stopper la cuisson. Coupez la chair en gros tronçons.

Faites chauffer l'huile de friture.

Mélangez le blanc d'œuf avec la farine, la levure et la noix de coco. Ajoutez un peu d'eau si nécessaire pour obtenir une texture onctueuse.

Pelez les avocats, coupez-les en deux et retirez les noyaux. Détaillez la chair en gros quartiers.

Enrobez les quartiers d'avocats et les tronçons de homard de pâte à tempura et plongez-les dans l'huile chaude pendant environ 3 minutes. Égouttez-les sur du papier absorbant. Dégustez aussitôt avec le chutney de mangue.

Mini-tartines avocat et crevettes grises croustillantes

POUR 6 PERSONNES

2 avocats

½ citron pour le jus

200 g de petites crevettes grises

½ cuillerée à café de paprika

6 tranches de pain vollkornbrot (seigle complet)

1 cuillerée à soupe d'huile d'olive

Sel et poivre

Pelez les avocats, coupez-les en deux et retirez les noyaux. Mixez la chair au robot avec le jus de citron. Salez et poivrez.

Débarrassez les crevettes de leur tête avant de les faire sauter 3 minutes dans une poêle chaude avec l'huile. Saupoudrez de paprika.

Découpez les tranches de pain en carrés. Placez sur chaque carré 1 cuillerée de crème d'avocat et quelques crevettes grillées. Servez aussitôt.

Mini-blinis à l'avocat et aux coques

POUR 12 PETITS BLINIS

150 g de coques

1 cuillerée à soupe de gros sel

2 échalotes

1 brin de persil

30 g de beurre

1 avocat

½ citron pour le jus et le zeste

12 blinis

Sel et poivre

Placez les coques dans une grande bassine d'eau froide avec le gros sel pour éliminer le sable. Laissez-les reposer 30 minutes, puis sortez-les de l'eau. Répétez cette opération jusqu'à ce que les coques soient propres.

Émincez finement les échalotes et hachez le persil. Faites fondre le beurre dans une casserole. Faites dorer les échalotes et ajoutez les coques. Couvrez et laissez cuire 5 minutes jusqu'à ce que les coques s'ouvrent. Ajoutez le persil haché. Sortez enfin les coquillages de leurs coquilles.

Coupez l'avocat en deux, retirez la peau et le noyau, puis mixez la chair avec le jus de citron, du sel et du poivre.

Dressez une cuillerée de purée d'avocat sur chaque blinis, puis ajoutez deux ou trois coques. Saupoudrez de zeste de citron.

Cake au crabe, à l'avocat et aux câpres

POUR 6 PERSONNES

1 avocat
2 échalotes
3 œufs
15 cl de lait
150 g de farine
1 sachet de levure
15 cl d'huile d'olive
30 g de câpres
100 g de chair de crabe
10 g de beurre
Sel et poivre

Préchauffez le four à 180 °C. Pelez l'avocat, coupez-le en deux et ôtez le noyau. Détaillez la chair en petits dés. Pelez et hachez les échalotes.

Dans un saladier, mélangez les œufs et le lait. Incorporez peu à peu la farine et la levure. Ajoutez l'huile. Salez et poivrez. Ajoutez dans la pâte les câpres, les échalotes, la chair de crabe égouttée et les dés d'avocat. Mélangez.

Beurrez un moule à cake. Versez la pâte dedans et enfournez pour 45 minutes. Laissez le cake refroidir avant de le démouler.

Gougères à la mousse d'avocat et aux œufs de truite

POUR 18 GOUGÈRES

2 avocats

20 cl de crème fraîche fluide

Quelques gouttes de Tabasco

18 gougères

80 g d'œufs de truite

Pelez les avocats, coupez-les en deux et ôtez les noyaux. Mixez la chair au robot avec la crème fraîche et le Tabasco pour obtenir une texture crémeuse. Versez la préparation dans un siphon. Ajoutez une ou deux cartouches de gaz, secouez, et placez au frais pendant au moins 1 heure.

Coupez les gougères en deux et farcissez-les de mousse d'avocat. Ajoutez quelques œufs de truite et refermez les gougères.

Petits sablés à la crème d'avocat, aux Saint-Jacques et au yuzu

POUR 4 PERSONNES

- 1 avocat
- 1 yuzu
- 2 cuillerées à soupe de crème fraîche épaisse
- 8 noix de Saint-Jacques
- 16 biscuits sablés
- Sel et poivre

Pelez l'avocat, coupez-le en deux et ôtez le noyau. Prélevez le zeste et le jus du yuzu. Mixez la chair de l'avocat avec la crème, le jus de yuzu, du sel et du poivre pour obtenir une texture crémeuse.

Taillez les noix de Saint-Jacques en très fines lamelles.

Dressez une noix de crème à l'avocat sur chaque sablé à l'aide d'une poche à douille. Placez des lamelles de noix de Saint-Jacques sur le dessus. Parsemez de zestes de yuzu.

Mousse de saumon fumé et purée à l'avocat

POUR 6 VERRINES

10 cl de crème liquide
2 avocats
½ citron pour le jus
250 g de saumon fumé
1 pincée de baies roses

Versez la crème dans un saladier et réservez-la au frais pendant 1 heure.

Pelez les avocats, coupez-les en deux et retirez les noyaux. Mixez la chair avec le jus de citron.

Mixez le saumon pour obtenir une texture homogène. Montez la crème en chantilly et incorporez-la au saumon.

Répartissez la purée d'avocat dans les verrines, puis déposez délicatement un peu de mousse de saumon dessus. Parsemez de baies roses concassées.

Blinis à la chantilly d'avocat et aux œufs de truite

POUR 6 PERSONNES

1 avocat
1 orange
20 cl de crème liquide
12 blinis
80 g d'œufs de truite
Poivre

Préchauffez le four à 200 °C.

Pelez l'avocat, coupez-le en deux et ôtez le noyau. Mixez sa chair avec le jus et le zeste de l'orange. Poivrez. Passez la préparation au tamis pour obtenir une crème lisse. Incorporez la crème liquide et placez l'appareil dans un siphon. Ajoutez une ou deux cartouches de gaz. Secouez et réservez au frais.

Réchauffez les blinis au four. Dressez une noix de chantilly à l'avocat sur chaque blinis et ajoutez des œufs de truite sur le dessus.

Mini-brochettes saumon, avocat et oranges

POUR 4 PERSONNES

2 cuillerées à soupe de miel

2 cuillerées à soupe d'huile d'olive

2 brins de thym frais

1 citron pour le jus

2 pavés de saumon sans la peau

2 avocats

2 oranges

Sel et poivre

Dans un saladier, mélangez le miel, l'huile d'olive, le thym et le jus de citron. Salez et poivrez. Coupez les pavés de saumon en petits cubes et placez-les dans le saladier. Filmez et réservez au frais pendant 1 heure.

Pelez les oranges et les avocats, puis coupez-les en cubes de tailles égales.

Piquez sur chaque brochette un morceau de saumon mariné, puis un cube d'avocat et un cube d'orange.

Mini-brochettes avocat, ananas et crevettes

Pelez l'ananas et les avocats, puis détaillez-les en gros cubes.

Faites revenir les crevettes et les cubes d'ananas dans une poêle avec l'huile bien chaude. Déglacez avec la sauce soja et le miel. Poivrez et laissez caraméliser 3 minutes.

Sur chaque brochette, piquez une crevette, puis un cube d'ananas et un cube d'avocat.

POUR 4 PERSONNES

½ ananas

2 avocats

200 g de petites crevettes décortiquées

2 cuillerées à soupe d'huile végétale

1 cuillerée à soupe de sauce soja

2 cuillerées à soupe de miel

Poivre

Mini-wraps à l'avocat et au saumon fumé

POUR 4 PERSONNES

1 avocat

½ concombre

4 wraps au blé complet

4 tranches de saumon fumé

4 grandes feuilles de laitue

150 g de fromage frais aux herbes

50 g de graines germées

Pelez l'avocat, coupez-le en deux et retirez le noyau. Coupez la chair en lamelles.

Coupez le concombre en fins bâtonnets.

Tartinez les wraps avec le fromage frais. Déposez une feuille de laitue au centre de chaque wrap. Garnissez avec une tranche de saumon, quelques lamelles d'avocat, des bâtonnets de concombre et des graines germées.

Roulez le wrap et découpez le boudin en petits rouleaux de 3 cm de large pour déguster.

Brochettes avocat, jambon cru et olives

Pelez les avocats, coupez-les en deux et ôtez les noyaux. Coupez la chair en cubes.

Coupez le jambon en fines lanières.

Piquez sur chaque brochette un morceau d'avocat, puis deux olives et des lamelles de jambon.

POUR 6 PERSONNES

2 avocats

8 tranches de jambon Serrano

12 olives marinées

Rouleaux au concombre, au jambon et à l'avocat

POUR 4 PERSONNES

2 avocats

½ citron pour le jus

2 brins d'aneth frais

3 brins de persil

50 g de câpres

1 concombre

4 tranches fines de jambon blanc aux herbes

Poivre

Pelez les avocats, coupez-les en deux et ôtez les noyaux. Mixez la chair au robot avec le jus de citron, les herbes et les câpres. Poivrez.

À l'aide d'une mandoline, détaillez le concombre en fines tranches dans la hauteur. Tailles les tranches de jambon au même format que les tranches de concombres.

Posez une tranche de jambon sur une tranche de concombre et recouvrez de purée d'avocat. Formez un rouleau bien serré.

Répétez l'opération avec les ingrédients restants.

Cupcakes maïs-avocat

POUR 6 PERSONNES

- 190 g de farine
- 200 g de farine de maïs
- ½ sachet de levure chimique
- 40 cl de lait
- 70 g de beurre fondu
- 2 œufs
- 50 g de maïs en grains
- 2 avocats
- 15 cl de crème liquide
- 1 citron pour le jus
- Tabasco

Préchauffez le four à 180 °C. Mélangez dans un saladier les ingrédients secs : farines, levure, sel et poivre. Ajoutez le lait en plusieurs fois, puis le beurre et les œufs. Mélangez jusqu'à obtention d'une texture lisse. Ajoutez enfin les grains de maïs et mélangez une dernière fois.

Versez la pâte dans des moules à muffins antiadhésifs. Enfournez pour 20 minutes.

Pendant ce temps, préparez la mousse à l'avocat. Pelez et ôtez les noyaux des avocats. Écrasez la chair à la fourchette et passez-la au tamis. Ajoutez la crème, le jus de citron et quelques gouttes de Tabasco. Versez le tout dans un siphon. Ajoutez deux cartouches de gaz et réservez au frais.

Démoulez les cupcakes et laissez les refroidir. Décorez-les avec une belle rosace de crème à l'avocat.

Verrines avocat-tomates

POUR 12 VERRINES

2 avocats

1 oignon blanc

1 citron vert pour le jus

1 cuillerée à café de piment de Cayenne

1 branche de menthe fraîche

4 tomates

4 cuillerées à soupe d'huile d'olive

100 g de tomates confites

Sel et poivre

Pelez les avocats et ôtez les noyaux. Pelez et taillez grossièrement l'oignon. Dans un robot, mixez la chair d'avocat, l'oignon, le jus de citron et le piment de Cayenne.

Ciselez les feuilles de menthe (réservez-en quelques-unes pour décorer). Détaillez les tomates (fraîches et confites) en petits dés, puis mélangez les délicatement avec la menthe et l'huile d'olive.

Répartissez dans chacune des verrines une couche de tomates, puis une couche de purée à l'avocat. Parsemez de feuilles de menthe et servez bien frais.

Crème d'avocat et granité de tomates au basilic

POUR 4 VERRINES

- 50 cl d'eau
- 50 cl de sucre
- 1 citron pour le jus
- 6 tomates
- Tabasco
- 10 feuilles de basilic
- 2 avocats
- 100 g de mascarpone
- Sel et poivre

Faites bouillir l'eau, le jus de citron et le sucre dans une casserole. Coupez le feu et laissez refroidir.

Ébouillantez les tomates 2 minutes dans une autre casserole. Pelez-les, coupez-les en quatre et épépinez-les. Mixez-les avec le Tabasco, puis salez et poivrez à votre convenance. Ajoutez l'eau citronnée et mélangez bien.

Ciselez le basilic (gardez quelques feuilles pour la décoration). Incorporez-le au coulis de tomate, puis versez ce dernier dans un grand récipient que vous placez au congélateur. À l'aide d'une fourchette, grattez le mélange toutes les 30 minutes pour former des cristaux.

Pelez l'avocat, coupez-le en deux et retirez le noyau. Mixez la chair avec le mascarpone. Salez et poivrez, puis réservez au frais.

Dressez une belle cuillerée de crème d'avocat dans chaque verrine, puis ajoutez le granité de tomates. Décorez avec une feuille de basilic et dégustez aussitôt.

Cuillères garnies avocat, framboises et noix

POUR 6 PERSONNES

2 avocats

20 g de cerneaux de noix grillés et salés

2 brins de persil

1 cuillerée à soupe de vinaigre de framboise

2 cuillerées à soupe d'huile de noix

12 framboises fraîches

Poivre

Pelez les avocats, coupez-les en deux et retirez les noyaux. Coupez la chair en petits dés. Hachez grossièrement les noix. Hachez finement les feuilles du persil.

Dans un saladier, mélangez l'huile et le vinaigre. Incorporez les autres ingrédients, puis mélangez délicatement.

Répartissez la préparation dans de jolies cuillères de service et servez sans attendre.

Bâtonnets d'avocat panés, dip au citron vert

POUR 4 PERSONNES

2 avocats fermes

2 blancs d'œuf

2 cuillerées à soupe de farine

100 g de chapelure

5 cl d'huile d'arachide

Sel, poivre, piment d'Espelette

Pour le dip

10 cl de fromage blanc

1 citron vert

Sel, poivre

Pelez les avocats, coupez-les en deux et ôtez les noyaux. Taillez la chair en gros bâtonnets.

Battez les blancs d'œuf dans un bol. Disposez la farine et la chapelure dans deux autres bols. Retournez les bâtonnets d'avocat un à un dans la farine, puis dans le blanc d'œuf et enfin dans la chapelure.

Mettez l'huile à chauffer dans une poêle. Laissez dorer les bâtonnets d'avocat panés 1 minute sur chaque face. Égouttez-les sur du papier absorbant et parsemez-les de sel, de poivre et de piment d'Espelette.

Pour le dip

Prélevez le jus et le zeste du citron vert, puis mélangez-les avec le fromage blanc. Salez et poivrez. Servez la sauce dans un petit bol et proposez-la pour accompagner les bâtonnets d'avocat chauds.

Avec du fromage

Muffins garnis avocat, feta et olives

POUR 6 MUFFINS

150 g de farine

½ sachet de levure chimique

1 avocat

1 citron vert pour le jus

2 œufs

2 cuillerées à soupe d'huile neutre

12 olives noires dénoyautées et hachées

80 de feta

1 cuillerée à soupe de beurre fondu

Sel et poivre

Préchauffez le four à 180 °C. Dans un saladier, mélangez les ingrédients secs : farine, levure et une pincée de sel. Pelez l'avocat, retirez le noyau, puis écrasez sa chair à la fourchette avec le jus de citron.

Battez les œufs en omelette. Ajoutez l'huile, l'avocat écrasé, les olives et la feta. Versez cette préparation sur les ingrédients secs et mélangez bien.

Versez la pâte dans des moules à muffins beurrés. Enfournez et laissez cuire environ 30 minutes. Laissez refroidir les muffins avant de les démouler.

Mini-clafoutis avocat, bleu d'Auvergne et noix

POUR 6 CLAFOUTIS

2 avocats

½ citron pour le jus

60 g de bleu d'Auvergne

50 g de cerneaux de noix

3 œufs

1 cuillerée à soupe de Maïzena

10 cl de lait

1 noisette de beurre pour les moules

Sel et poivre

Préchauffez le four à 180 °C. Pelez les avocats, puis détaillez la chair en gros morceaux avant de la mixer avec le jus de citron.

Coupez le fromage et les noix en petits morceaux et ajoutez-les dans le bol du robot. Salez et poivrez légèrement. Mixez pour obtenir une pâte bien lisse.

Dans un saladier, fouettez 1 œuf avec la Maïzena. Ajoutez les œufs restants et fouettez comme pour une omelette. Incorporez délicatement le mélange avocat-roquefort. Incorporez le lait en plusieurs fois.

Faites fondre le beurre pour graisser des moules à muffins en silicone, puis versez la pâte dedans. Faites cuire 15-20 minutes au four. Démoulez les clafoutis et dégustez-les tièdes ou froids.

Beurre d'avocat aux agrumes

POUR 4 PERSONNES

1 citron
1 orange
2 avocats
100 g de beurre
10 brins de ciboulette
4 tranches de pain
Sel et poivre

Prélevez le jus et le zeste des agrumes. Pelez les avocats, coupez-les en deux et retirez les noyaux. Mixez la chair au robot avec le beurre et le jus des agrumes pour obtenir une sauce homogène.

Hachez finement la ciboulette et incorporez-la à la sauce avec les zestes d'agrumes. Salez et poivrez. Réservez au frais jusqu'au moment de servir.

Faites griller les tranches de pains et tartinez-les de beurre d'avocat.

La recette du «vrai» guacamole

Pelez les avocats, coupez-les en deux et ôtez les noyaux (réservez-en un). Arrosez la chair des avocats avec le jus des citrons verts avant de l'écraser à la fourchette. Salez et poivrez.

Pelez et émincez l'oignon, l'ail et les tomates. Ajoutez l'avocat écrasé et quelques gouttes de Tabasco, puis mélangez délicatement.

Placez le noyau réservé dans le guacamole jusqu'au moment de servir pour éviter que la préparation s'oxyde et noircisse. Dégustez avec des chips de maïs.

POUR 6 PERSONNES

3 avocats mûrs
2 citrons verts pour le jus
½ oignon
1 gousse d'ail
2 tomates
Tabasco
Sel et poivre

Guacamole piquant à l'indienne

POUR 6 PERSONNES

3 avocats mûrs

2 brins de coriandre fraîche

2 citrons pour le jus

½ cuillerée à café de pâte de piment

2 gousses d'ail

1 oignon rouge

1 cuillerée à café de graines de moutarde

2 cuillerées à café d'huile végétale

1 cuillerée à café de curry en poudre

Sel

Pelez les avocats, coupez-les en deux et ôtez les noyaux. Hachez finement les feuilles de coriandre.

Placez la chair des avocats dans un bol. Ajoutez le jus des citrons, une pincée de sel, la coriandre et la pâte de piment.

Pelez les gousses d'ail et retirez les germes. Pelez l'oignon rouge. Hachez très finement l'ail et l'oignon.

Faites revenir les graines de moutarde dans une poêle avec l'huile chaude. Ajoutez l'oignon, l'ail et le curry. Laissez dorer 3 minutes et retirez du feu.

Mélangez cette préparation avec la chair des avocats et écrasez le tout avec une fourchette. Servez avec des tortillas.

Guacamole au maïs et poivron

POUR 6 PERSONNES

3 avocats mûrs
2 citrons verts pour le jus
½ oignon
1 gousse d'ail
1 poivron rouge
200 g de maïs en boîte
Tabasco
Sel et poivre

Pelez les avocats, coupez-les en deux et ôtez les noyaux (réservez-en un). Arrosez la chair des avocats avec le jus des citrons verts avant de l'écraser à la fourchette. Salez et poivrez.

Pelez et émincez l'oignon et l'ail. Détaillez également le poivron en petits dés.

Ajoutez l'avocat écrasé et le maïs. Assaisonnez avec le Tabasco, puis mélangez délicatement.

Disposez le guacamole dans un bol, piquez au centre le noyau réservé (pour éviter l'oxydation) et servez avec des chips de maïs.

Dip yaourt-avocat

POUR 6 PERSONNES

1 avocat

200 g de yaourt nature

2 branches d'aneth

1 cuillerée à café de moutarde de Dijon

½ citron pour le jus

Sel et poivre

Pelez l'avocat, coupez-le en deux et ôtez le noyau. Coupez la chair en gros morceaux, puis mixez-la pendant 1 minute avec le reste des ingrédients pour obtenir une sauce d'une texture crémeuse. Servez avec des bâtonnets de légumes.

Tapenade olives noires-avocat

Pelez les avocats, coupez-les en deux et ôtez les noyaux. Pelez l'ail et retirez le germe.

Mixez tous les ingrédients dans un robot jusqu'à obtention d'une texture homogène. Servez avec des bâtonnets de légumes.

POUR 4 PERSONNES

2 avocats

1 gousse d'ail

125 g d'olives noires dénoyautées

5 filets d'anchois

1 citron pour le jus

1 cuillerée à soupe d'huile d'olive

5 câpres

Pesto à l'avocat

POUR 4 PERSONNES

2 avocats

2 gousses d'ail

2 branches de basilic frais

50 g de pignons de pin

50 ml d'huile d'olive

1 cuillerée à soupe de jus de citron

Sel, poivre

Pelez les avocats, coupez-les en deux et ôtez les noyaux. Pelez et ôtez les germes des gousses d'ail. Effeuillez le basilic.

Placez tous les ingrédients dans le bol d'un robot et mixez pour obtenir une pâte homogène.

Dégustez à l'apéritif avec du pain pita ou des bâtonnets de crudités.

Houmous à l'avocat

POUR 6 PERSONNES

1 avocat

300 g de pois chiche cuits et égouttés

2 gousses d'ail

1 cuillerée à café de cumin en poudre

1 citron pour le jus

2 cuillerées à soupe de tahini

2 cuillerées à soupe d'huile d'olive

Sel et poivre

Pelez l'avocat, coupez-le en deux et ôtez le noyau. Pelez et pressez les gousses d'ail.

Mixez la chair de l'avocat avec les pois chiches, l'ail, le cumin, le citron, le tahini et l'huile d'olive jusqu'à obtention d'une pâte lisse. Salez et poivrez.

Dégustez à l'apéritif avec du pain pita ou des bâtonnets de crudités.

3

En entrée

Avec de la viande

Carpaccio de canard, avocats et pêches

POUR 4 PERSONNES

- 2 avocats
- 2 pêches jaunes
- 200 g de magret de canard tranché
- 2 cuillerées à soupe d'huile d'olive
- 1 cuillerée à café de vinaigre de vin
- ½ cuillerée à café de moutarde
- Sel et poivre

Pelez les avocats, coupez-les en deux et ôtez les noyaux. Coupez la chair en très fines tranches à l'aide d'une mandoline.

Coupez les pêches en deux, ôtez les noyaux et coupez également la chair en très fines tranches.

Dans un plat de service rond, disposez les tranches de canard, d'avocat et de pêche en les faisant se chevaucher.

Mélangez l'huile, le vinaigre, la moutarde, le sel et le poivrez. Arrosez le carpaccio de vinaigrette et servez aussitôt.

Cannellonis d'avocat à la brousse et à la coppa

POUR 4 PERSONNES

2 avocats

½ citron vert pour le jus

10 tranches fines de coppa

200 g de brousse de brebis

2 cuillerées à soupe d'huile de noisette

1 cuillerée à café de crème de balsamique

Pelez les avocats, retirez le noyau, puis coupez la chair en fines tranches à l'aide d'une mandoline. Arrosez-les de jus de citron.

Placez la moitié des tranches d'avocat bien à plat sur une feuille de film alimentaire en formant un rectangle. Les tranches doivent légèrement se chevaucher. Recouvrez l'ensemble avec 5 tranches de coppa.

Déposez la brousse sur toute la surface. Formez un rouleau. Répétez l'opération avec les ingrédients restants. Serrez bien les rouleaux dans du film alimentaire et placez-les au réfrigérateur pendant 1 heure.

Au moment de servir, arrosez les cannellonis avec l'huile de noisette et le balsamique.

Saveurs de la mer

Pamplemousse surprise thon, crevettes et avocat

POUR 4 PERSONNES

2 pamplemousses
1 avocat
2 brins de cerfeuil frais
100 g de miettes de thon
2 cuillerées à soupe de mayonnaise
150 g de crevettes cuites décortiquées
1 citron pour le jus
Sel et poivre

Coupez les pamplemousses en deux. Récupérez la pulpe à la cuillère et détaillez-la en petits cubes. Réservez les coques.

Pelez l'avocat, coupez-le en deux et ôtez le noyau. Coupez la chair en cubes.

Hachez finement le cerfeuil.

Dans un saladier, mélangez le thon, la mayonnaise et le cerfeuil. Salez et poivrez. Ajoutez l'avocat, le pamplemousse et les crevettes, puis mélangez délicatement.

Remplissez les demi-coques de pamplemousse avec cette préparation et réservez au frais jusqu'au moment de servir.

Millefeuille avocat, haddock et orange

POUR 2 PERSONNES

- 2 feuilles de brick
- 30 g de beurre
- 2 avocats
- 1 citron pour le jus
- 2 cuillerées à soupe d'huile d'olive
- 1 orange
- 4 filets de haddock fumé
- Sel et poivre

Préchauffez le four à 180 °C. À l'aide d'un emporte-pièce, découpez deux disques dans chaque feuille de brick. Faites fondre le beurre et badigeonnez-en les feuilles de bricks. Disposez-les sur une plaque recouverte de papier sulfurisé. Enfournez 5 à 10 minutes, jusqu'à ce que la pâte prenne une coloration dorée et devienne croustillante.

Pelez les avocats, coupez-les en deux et ôtez les noyaux. Écrasez la chair à la fourchette et mélangez-la avec le jus de citron, le sel, le poivre et l'huile d'olive.

Pelez l'orange à vif pour prélever les quartiers. Coupez le haddock en petits cubes.

Placez 2 disques de pâte sur le plan de travail, garnissez chacun d'eux avec 1 cuillerée de purée d'avocat, 2 quartiers d'orange et des cubes de haddock. Couvrez avec un disque de pâte et servez sans attendre.

Avocats garnis aux miettes de crabe et à la pomme

POUR 4 PERSONNES

2 échalotes
1 pomme verte
10 cl de mayonnaise
1 citron pour le jus
Tabasco
1 cuillerée à soupe de câpres
1 boîte de chair de crabe
2 avocats
Sel et poivre

Pelez et hachez les échalotes. Lavez la pomme et détaillez-la en bâtonnets. Mélangez la mayonnaise avec le jus de citron, quelques gouttes de Tabasco, les câpres, du sel et du poivre.

Égouttez la chair de crabe et émiettez-la. Mélangez-la avec la mayonnaise, les échalotes et les pommes. Coupez les avocats en deux et retirez les noyaux. Garnissez les demi-avocats avec la préparation au crabe.

Avocats garnis aux rillettes de thon

POUR 2 PERSONNES

2 échalotes
150 g de thon en boîte
2 cuillerées à soupe de crème fraîche épaisse
1 citron pour le jus
2 brins d'aneth frais
2 avocats
Poivre

Pelez et hachez les échalotes.

Égouttez le thon et mixez-le au robot avec les échalotes, la crème, le jus de citron et l'aneth. Poivrez. Réservez au frigo pendant 1 heure.

Coupez les avocats en deux et ôtez les noyaux. Remplissez les cavités laissées par les noyaux avec les rillettes de thon et servez aussitôt.

Mousse d'avocat au crabe et aux graines germées

POUR 4 PERSONNES

- 10 brins de ciboulette
- 3 avocats
- 1 citron pour le jus
- 2 blancs d'œufs
- 200 g de crabe émietté
- 3 cuillerées à soupe d'huile d'olive
- 50 g de graines germées
- Sel et poivre

Ciselez la ciboulette. Pelez et ôtez les noyaux des avocats. Coupez-les en gros morceaux et mixez la chair au robot avec la moitié du jus de citron, un peu sel et de poivre jusqu'à obtention d'une texture fine et homogène.

Montez les blancs en neige très fermes avec 1 pincée de sel. Incorporez délicatement la purée d'avocats et la ciboulette ciselée. Réservez au frais pendant 1 heure.

Mélangez le crabe avec 2 cuillerées à soupe d'huile d'olive et le jus de citron restant. Salez et poivrez.

Disposez quatre cercles à pâtisserie sur des petites assiettes. Déposez au fond une couche de mousse d'avocat, couvrez d'une couche de crabe et finissez par une couche de mousse d'avocat. Décorez avec des graines germées et arrosez avec un filet huile d'olive.

Carpaccio de haddock à l'avocat et aux groseilles

POUR 4 PERSONNES

800 g de haddock

2 avocats

1 citron pour le jus

4 cuillerées à soupe d'huile d'olive

120 g de groseilles

150 g de pousses d'épinard

Sel et poivre

Coupez le haddock en très fines tranches et réservez-le au frais.

Pelez les avocats, coupez-les en deux et retirez les noyaux. Formez des petites boules de chair à l'aide d'une cuillère parisienne. Arrosez-les d'un peu de jus de citron pour éviter l'oxydation.

Préparez la vinaigrette en mélangeant le jus de citron restant, l'huile d'olive et le jus des groseilles. Salez et poivrez.

Sur chaque assiette, dressez quelques tranches de haddock, des pousses d'épinard et des billes d'avocat. Arrosez de vinaigrette et servez sans attendre.

Terrine avocat-cabillaud à l'aneth

POUR 6 PERSONNES

300 g de dos de cabillaud

1 bouquet d'aneth frais

3 avocats

1 citron pour le jus

6 feuilles de gélatine

10 cl de crème liquide

300 g de ricotta

1 pincée de piment d'Espelette

2 blancs d'œuf

2 cuillerées à soupe d'huile d'olive

Sel et poivre

Préchauffez le four à 180 °C. Arrosez le dos de cabillaud avec un filet d'huile d'olive et faites-le cuire 10 minutes au four. Émiettez la chair du poisson à la fourchette, puis ajoutez l'aneth après l'avoir finement haché. Salez et poivrez

Pelez les avocats, coupez-les en deux et ôtez les noyaux. Mixez la chair au robot avec le jus de citron.

Mettez les feuilles de gélatine à ramollir 10 minutes dans un bol d'eau froide.

Faites chauffer la crème dans une casserole à feu doux. Hors du feu, ajoutez la gélatine et remuez bien pour la faire fondre. Incorporez la ricotta, le piment, le sel et le poivre.

Montez les blancs d'œuf en neige ferme et incorporez-les délicatement à la base de ricotta. Mélangez les deux tiers de cette préparation avec la purée d'avocat et le tiers restant avec le poisson écrasé.

Chemisez une terrine de film alimentaire et versez une couche de mousse à l'avocat, puis une couche de mousse de poisson et terminez par une couche à l'avocat. Placez la terrine au frigo pendant au moins 8 heures avant de déguster.

Avec des fruits

Tartare fraîcheur avocat, kiwi et pommes

POUR 4 PERSONNES

2 avocats

2 pommes granny

3 kiwis

3 brins de coriandre fraîche

1 petit oignon rouge

3 cuillerées à soupe d'huile d'olive

1 pincée de piment de Cayenne

1 citron vert pour le jus

Sel et poivre

Pelez les avocats, coupez-les en deux et ôtez les noyaux. Lavez les pommes et ôtez les trognons. Pelez les kiwis. Coupez tous ces ingrédients en petits cubes et placez-les dans un saladier.

Ciselez la coriandre. Émincez très finement l'oignon rouge. Ajoutez-les dans le saladier. Mélangez délicatement. Assaisonnez avec l'huile d'olive, le piment, le jus de citron, du sel et du poivre.

Répartissez la préparation dans les assiettes de service (vous pouvez la mouler dans des cercles à pâtisserie que vous retirez au dernier moment) et réservez au frais jusqu'au moment de servir.

Tartelettes fines avocat, crabe et pamplemousse

POUR 4 TARTELETTES

- 1 pâte feuilletée
- 2 avocats
- 2 cuillerées à soupe d'huile d'olive
- 1 citron vert pour le jus
- 2 pamplemousses
- 1 petite boîte de chair de crabe
- 2 branches de céleri

Préchauffez le four à 200 °C. À l'aide d'un emporte-pièce, découpez des disques dans la pâte feuilletée. Disposez ces disques sur une plaque, entre 2 feuilles de papier sulfurisé. Enfournez pour 20 minutes.

Pelez les avocats, coupez-les en deux et ôtez les noyaux. Mixez la chair avec l'huile et le jus de citron.

Pelez les pamplemousses à vif pour prélever les quartiers. Égouttez la chair de crabe. Hachez très finement les branches de céleri et conservez les peluches.

Disposez une cuillerée de purée d'avocat sur un disque de pâte puis quelques miettes de crabes et une cuillerée de céleri haché. Dressez les quartiers de pamplemousse sur le dessus et décorez avec les peluches de céleri.

Avec du fromage

Soufflés à l'avocat et à l'emmental

POUR 4 PERSONNES

3 œufs

1 gousse d'ail

3 avocats

1 cuillerée à soupe de crème fraîche

60 g de gruyère râpé

½ cuillerée à café de curcuma

40 g de beurre

Sel et poivre

Préchauffez le four à 220 °C.

Cassez les œufs et séparez les blancs des jaunes. Hachez finement l'ail.

Pelez les avocats, coupez-les en deux et ôtez les noyaux. Mixez la chair avec la crème fraîche et l'ail. Ajoutez le gruyère, le curcuma et les jaunes d'œufs.

Montez les blancs en neige très ferme et incorporez-les délicatement à la préparation à l'avocat.

Répartissez ce mélange dans des ramequins à soufflés individuels que vous aurez beurrés au préalable. Enfournez et laissez cuire 20-25 minutes, jusqu'à ce que les soufflés soient bien gonflés. Servez aussitôt.

Avocats gratinés au parmesan

POUR 2 PERSONNES

2 cuillerées à soupe d'huile d'olive

1 brin de persil frais

1 citron pour le jus

40 g de parmesan râpé

1 avocat

Poivre

Hachez finement le persil. Mélangez l'huile d'olive avec le persil, le jus de ciron, le parmesan et une pincée de poivre.

Coupez l'avocat en deux et ôtez le noyau. Placez les demi-avocats dans un plat à gratin. Garnissez la cavité du noyau avec la préparation au parmesan.

Placez les avocats sous le gril du four et laissez-les gratiner 5 minutes, jusqu'à ce qu'ils soient bien dorés. Dégustez sans attendre.

Petits flans avocat, ricotta et basilic

POUR 4 PERSONNES

2 avocats

100 g de ricotta

2 cuillerées à soupe de jus de citron

15 feuilles de basilic

3 œufs

1 cuillerée à soupe de Maïzena

10 cl de lait

Sel et poivre

Préchauffez le four à 180 °C.

Coupez les avocats en deux. Ôtez la peau et les noyaux. Mixer la chair avec la ricotta et le jus de citron.

Hachez finement le basilic.

Battez les œufs avec la Maïzena. Ajoutez le lait, puis le mélange avocat-ricotta ainsi que le basilic. Salez et poivrez.

Versez la pâte dans des moules à muffins en silicone, enfournez et laissez cuire 30 minutes. Laissez tiédir les flans avant de les démouler.

Bricks au fromage de chèvre et à l'avocat

POUR 4 PERSONNES

1 avocat

50 g de tomates confites

2 brins de persil frais

200 g de fromage de chèvre frais

4 feuilles de brick

50 g de beurre fondu

Sel et poivre

Préchauffez le four à 200 °C.

Pelez l'avocat, coupez-le en deux et ôtez le noyau. Coupez la chair en petits dés.

Mixez les tomates confites avec le persil. Mélangez cette préparation avec le fromage de chèvre frais. Salez et poivrez.

Coupez les feuilles de brick en deux et placez-les bien à plat. Badigeonnez-les de beurre fondu. Garnissez avec des dés d'avocat et un peu de farce au fromage de chèvre. Refermez la feuille de brick en triangle comme un samoussa. Répétez l'opération avec les feuilles restantes.

Enfournez-les brick et laissez-les cuire 5 minutes, jusqu'à ce qu'ils soient dorés.

Œufs cocotte à l'avocat

POUR 4 PERSONNES

2 avocats

4 cuillerées à soupe de crème liquide

4 œufs

50 g de gruyère râpé

½ cuillerée à café de piment d'Espelette

Sel et poivre

Préchauffez le four à 180 °C.

Coupez les avocats en deux. Retirez les noyaux mais conservez la peau. Agrandissez le trou à l'aide d'une cuillère à glace. Versez 1 cuillerée à soupe de crème dans chaque trou, puis cassez 1 œuf dedans. Salez et poivrez. Saupoudrez de fromage râpé et de piment d'Espelette.

Enfournez et laissez cuire 5 minutes environ. Vous pouvez accompagner ces œufs cocotte de mouillettes de pain grillé.

Soupes, crèmes et veloutés

Soupe glacée avocat et gingembre

Pelez et hachez les échalotes et le gingembre. Faites-les dorer dans une casserole avec l'huile d'olive. Ajoutez le paprika, le sel et le poivre, mouillez avec le bouillon, puis portez à ébullition. Réservez ce liquide dans un saladier.

Pelez les avocats, coupez-les en deux et ôtez les noyaux. Mixez la chair avec la crème fraîche jusqu'à obtention d'une texture crémeuse. Mélangez cette purée avec le bouillon.

Filmez au contact et réservez au moins 3 heures au frais. Servez la soupe bien fraîche, avec un trait de jus de citron et quelques feuilles de coriandre.

POUR 6 PERSONNES

2 échalotes

3 cm de gingembre frais

1 cuillerée à soupe d'huile d'olive

½ cuillerée à café de paprika

50 cl de bouillon de poule

2 avocats

10 cl de crème fraîche

1 citron pour le jus

4 brins de coriandre fraîche

Sel et poivre

Crème d'avocat au lait de coco et mouillettes à l'ail

POUR 6 PERSONNES

2 avocats

20 cl de lait de coco

2 citrons verts pour le jus

½ cuillerée à café de curcuma

4 tranches de pain de campagne

2 cuillerées à soupe d'huile d'olive

1 gousse d'ail

Sel et poivre

Pelez les avocats, coupez-les en deux et ôtez les noyaux. Mixez la chair au robot avec le lait de coco, le jus de citron et le curcuma jusqu'à obtention d'une texture crémeuse. Réservez au frais.

Badigeonnez les tranches de pain avec l'huile d'olive. Passez-les sous le gril du four pendant 3 minutes. Pelez l'ail et frottez la gousse sur le pain. Coupez les tranches en bâtonnets.

Servez la crème d'avocat bien fraîche avec les mouillettes à l'ail.

Velouté asperge-avocat

POUR 4 PERSONNES

- 1 botte d'asperges vertes
- 1 avocat
- 2 échalotes
- 1 gousse d'ail
- Huile d'olive
- 1,5 litre de bouillon de légumes
- 10 cl de crème fraîche
- Sel et poivre

Coupez les extrémités dures des asperges. Réservez quelques pointes pour le service.

Pelez l'avocat, coupez-le en deux et ôtez le noyau. Coupez la chair en quartiers.

Pelez l'ail et les échalotes, puis émincez-les finement. Faites-les dorer dans une casserole avec un filet d'huile d'olive. Ajoutez les asperges et mouillez avec le bouillon. Laissez cuire 20 minutes. Ajoutez les avocats et poursuivez la cuisson 1 minute. Salez et poivrez.

Passez le tout au mixeur avec la crème fraîche. Servez dans des bols et décorez avec les pointes d'asperges.

Gaspacho glacé avocat, concombre et menthe

POUR 4 PERSONNES

1 concombre

2 avocats

2 cuillerées à soupe d'huile d'olive

1 cuillerée à café de vinaigre de cidre

1 cuillerée à soupe de jus de citron

1 cuillerée à café de cumin

10 feuilles de menthe

Sel et poivre

Pelez le concombre, coupez-le en deux et retirez les graines. Coupez la chair en gros morceaux et laissez dégorger 30 minutes dans une passoire.

Pelez les avocats, coupez-les en deux et ôtez les noyaux. Coupez la chair en gros morceaux.

Dans un blender, mixez l'avocat et le concombre. Ajoutez l'huile, le vinaigre, le jus de citron et le cumin. Salez et poivrez. Hachez finement les feuilles de menthe et ajoutez-les dans le gaspacho.

Laissez reposer au moins 1 heure au réfrigérateur. Servez le gaspacho très frais.

Petites salades

Avocats vinaigrette aux herbes aromatiques

Pelez les avocats, coupez-les en deux et ôtez les noyaux. Coupez-les en fines tranches et arrosez-les de jus de citron.

Hachez les herbes aromatiques. Mélangez le vinaigre, l'huile et les herbes, puis versez cette sauce sur les tranches d'avocat.

POUR 4 PERSONNES

4 avocats

1 brin de coriandre

3 brins de ciboulette

1 brin de cerfeuil

½ citron pour le jus

1 cuillerée à café de vinaigre de framboises

5 cl d'huile d'olive

Sel et poivre

Carpaccio avocat et crudités

POUR 2 PERSONNES

1 avocat

1 carotte

1 betterave crue

6 radis roses

1 cuillerée à soupe d'huile de pépin de raisin

1 cuillerée à café de vinaigre de vin

Sel et poivre

Pelez l'avocat, coupez-le en deux et ôtez le noyau. Pelez la carotte et la betterave. Coupez tous les légumes en très fines tranches à l'aide d'une mandoline.

Mélangez l'huile, le vinaigre, le sel et le poivre dans un bol.

Disposez les lamelles de légumes dans un plat de service en les faisant se chevaucher, puis arrosez-les avec la vinaigrette. Servez sans attendre.

Salade de crevettes, avocat et ananas

POUR 4 PERSONNES

2 avocats

1 ananas victoria

2 cuillerées à soupe de sauce soja

200 g de petites crevettes décortiquées

200 g de jeunes pousses d'épinard

2 cuillerées à soupe d'huile d'olive

1 citron vert pour le jus

½ cuillerée à café de curry

Sel et poivre

Pelez les avocats et l'ananas, avant de les détailler en petits dés.

Faites dorer les dés d'ananas dans une poêle 2 minutes sur chaque face. Déglacez avec la sauce soja, puis ajoutez les crevettes. Laissez cuire 5 minutes.

Mélangez dans un saladier les pousses d'épinard, l'avocat et le mélange ananas-crevettes.

Assaisonnez avec l'huile d'olive, le jus de citron et le curry. Salez et poivrez. Servez sans attendre.

Salade de fraise, avocat, pourpier et burrata

POUR 4 PERSONNES

- 12 fraises
- 1 avocat
- 120 g de pourpier
- 1 belle burrata
- 20 g noix de cajou
- 4 cuillerées à soupe d'huile d'olive
- 1 cuillerée à café de vinaigre de framboise
- ½ citron pour le jus
- Sel et poivre

Équeutez les fraises et coupez-les en quatre. Pelez l'avocat, coupez-le en deux et taillez la chair en petites lamelles.

Dans un plat de service, mélangez le pourpier, les fraises et les lamelles d'avocat. Placez la burrata sur le dessus. Incisez-la au couteau de manière à laisser couler la crème.

Faites dorer les noix de cajou à sec dans une poêle.

Mélangez l'huile d'olive, le vinaigre de framboise et le jus de citron. Salez, poivrez.

Versez cette sauce sur la salade avant d'ajouter les noix de cajou grillées. Servez sans attendre.

Salade de fenouil, avocat et pamplemousse

POUR 4 PERSONNES

2 avocats

1 fenouil

½ oignon rouge

1 pamplemousse

2 cuillerées à soupe d'huile d'olive

1 cuillerée à café de vinaigre balsamique

Sel et poivre

Pelez les avocats, coupez-les en deux et ôtez les noyaux. Coupez les branches du fenouil et gardez-les pour une autre recette. Pelez l'oignon rouge.

À l'aide d'une mandoline, taillez les avocats, l'oignon et le fenouil en très fines lamelles.

Pelez le pamplemousse à vif pour prélever les quartiers.

Disposez joliment tous ces ingrédients sur un plat de service.

Mélangez l'huile d'olive et le vinaigre balsamique, salez et poivrez. Arrosez la salade de sauce et servez sans attendre.

Salade de melon, avocat et jambon cru

Coupez le melon en deux et videz le cœur avec les graines. Prélevez de petites billes dans la chair à l'aide d'une cuillère parisienne.

Coupez les avocats en deux et retirez le noyau. Prélevez également des petites billes dans la chair.

Coupez le jambon cru en fines lanières. Hachez grossièrement la menthe. Mélangez délicatement tous ces ingrédients et assaisonnez avec l'huile de noix et une pincée de poivre.

POUR 4 PERSONNES

1 petit melon

2 avocats

6 tranches de jambon cru

5 feuilles de menthe

3 cuillerées à soupe d'huile de noix

Poivre

Salade acidulée agrumes, roquette et avocat

POUR 4 PERSONNES

2 avocats
½ citron pour le jus
150 g de roquette
1 pamplemousse
2 oranges
5 cl d'huile d'olive
2 cuillerées à soupe de vinaigre balsamique
1 pincée de baies roses écrasées
Sel

Pelez les avocats, ôtez les noyaux, puis détaillez la chair en lamelles que vous arrosez de jus de citron. Lavez la roquette. Pelez à vif le pamplemousse et les oranges, puis prélevez les quartiers. Mettez tous ces ingrédients dans un saladier.

Mélanger l'huile d'olive, le vinaigre, les baies roses et le sel dans un bol. Versez la sauce sur la salade, remuez délicatement et servez aussitôt.

Salade de champignons, avocat, crabe et basilic

POUR 4 PERSONNES

2 avocats

1 citron pour le jus

200 g de champignons de paris

300 g de chair de crabe

1 orange

3 brins de basilic frais

1 branche de romarin

2 cuillerées à soupe d'huile d'olive

Sel et poivre

Pelez les avocats, coupez-les en deux. À l'aide d'une cuillère parisienne, prélevez des petites billes d'avocat, puis arrosez-les de jus de citron.

Pelez et émincez les champignons. Égouttez la chair de crabe. Pelez l'orange à vif et prélevez les quartiers.

Dans un saladier, mélangez le crabe, les champignons, les billes d'avocat et les suprêmes d'orange. Ajoutez les feuilles de basilic et de romarin. Arrosez d'huile d'olive, salez, poivrez et servez aussitôt.

Raffinée

Panna cotta avocat-estragon et son coulis de tomate

POUR 4 PERSONNES

3 feuilles de gélatine
1 avocat
1 citron pour le jus
25 cl de crème liquide
1 branche d'estragon frais
10 cl de coulis de tomate
Tabasco
Sel et poivre

Faites tremper les feuilles de gélatine dans un bol d'eau froide.

Pelez l'avocat, coupez-le en deux et ôtez le noyau. Mixez finement sa chair avec le jus de citron. Salez et poivrez

Mettez la crème et l'estragon dans une casserole et faites chauffer à feu doux. Ajoutez la purée d'avocat hors du feu.

Essorez 2 feuilles de gélatine que vous incorporez aussitôt à la crème d'avocat. Répartissez cette préparation dans quatre verrines et placez frais au moins 3 heures.

Faites chauffer le coulis de tomate dans une casserole à feu doux. Ajoutez quelques gouttes de Tabasco et la troisième feuille de gélatine bien essorée. Remuez bien.

Versez le coulis sur les panna cotta et replacez ces dernières au réfrigérateur pour encore 1 heure.

Insolite

Bruschette avocat, radis et pourpier

Pelez l'avocat, coupez-le en deux et ôtez le noyau. Écrasez la chair à la fourchette avec le jus de citron et le paprika. Salez et poivrez.

Faites griller à sec les pignons de pin dans une poêle jusqu'à ce qu'ils dorent légèrement.

Éliminez les pointes et les tiges de radis, puis coupez la chair en très fines rondelles.

Faites griller les tranches de pain. Répartissez la purée d'avocat dessus. Garnissez avec des rondelles de radis sur le dessus et des feuilles de pourpier. Arrosez d'huile d'olive et parsemez de pignons grillés.

POUR 2 BRUSCHETTE

1 avocat bien mûr

1 citron pour le jus

½ cuillerée à café de paprika

30 g de pignons de pin

10 petits radis roses

2 tranches de pain de campagne

50 g de pourpier

2 cuillerées à soupe d'huile d'olive

Sel et poivre

4

Plats complets

Pour les végétariens

Naans à l'avocat et à la courge rôtie

POUR 4 NAANS

- 1 courge butternut
- 1 cuillerée à soupe d'huile d'olive
- 1 avocat
- ½ oignon rouge
- 2 brins de coriandre fraîche
- 1 yaourt nature à la grecque
- 1 citron vert pour le jus
- 1 cuillerée à café de curcuma en poudre
- 4 naans

Préchauffez le four à 190 °C. Pelez la courge butternut et ôtez les pépins. Coupez la chair en petits dés que vous placez sur une plaque de cuisson tapissée de papier sulfurisé. Arrosez d'huile d'olive et enfournez pour 15 minutes.

Pelez l'avocat, coupez-le en deux et ôtez le noyau. Coupez la chair en petits dés.

Pelez l'oignon et détaillez-le en très fines lamelles.

Hachez grossièrement la coriandre. Mélangez le yaourt avec la coriandre, le jus de citron et le curcuma.

Réchauffez les naans 5 minutes sous le gril du four. Garnissez un côté avec de l'avocat, de la courge et de l'oignon. Ajoutez 1 cuillerée à soupe de yaourt et rabattez l'autre côté sur cette garniture. Faites de même avec les naans restants.

Tarte garnie sur un fond de pâte à l'avocat

POUR 6 PERSONNES

1 avocat

100 g de farine complète

70 g de farine de sarrasin

Sel

Eau

Pour la garniture

Toutes les garnitures salées ou sucrées conviennent pour cette pâte.

Pelez l'avocat, coupez-le en deux et ôtez le noyau. Écrasez la chair à la fourchette. Mélangez les deux farines dans un saladier, assaisonnez avec une pincée de sel, ajoutez la purée d'avocat et travaillez les ingrédients du bout des doigts pour obtenir une texture sablée. Ajoutez un peu d'eau pour former une boule. Filmez et réservez au frais pendant au moins 1 heure.

Préchauffez le four à 200 °C. Étalez la pâte dans un moule à tarte tapissé de papier sulfurisé. Enfournez et laissez cuire 10 minutes à blanc, puis garnissez avec les ingrédients de votre choix et poursuivez la cuisson.

Salade de pommes de terre, avocat et wasabi

POUR 4 PERSONNES

- 2 kg de pommes de terre à chair tendre
- 2 avocats
- 4 oignons nouveaux
- 2 branches de céleri
- 500 g de fromage blanc
- 1 cuillerée à café de wasabi
- 1 cuillerée à soupe de mayonnaise
- Sel et poivre

Faites cuire les pommes de terre dans un grand volume d'eau bouillante jusqu'à ce qu'elles soient bien tendres. Laissez-les ensuite tiédir à température ambiante.

Pelez les avocats, coupez-les en deux et ôtez les noyaux, puis détaillez la chair en cubes. Pelez et émincez les oignons. Hachez finement le céleri.

Pelez les pommes de terre quand elles sont encore tièdes, puis coupez-les en rondelles épaisses. Mettez-les dans un saladier, ajoutez l'avocat, les oignons et le céleri. Incorporez le fromage blanc, la mayonnaise et le wasabi, salez et poivrez puis mélangez. Servez sans attendre.

Spaghetti à la crème d'avocat et aux tomates

Pelez l'avocat, coupez-le en deux et ôtez le noyau. Mixez la chair avec le jus de citron et le parmesan. Incorporez la crème fraîche.

Pelez l'ail et les échalotes et hachez-les finement. Faites-les dorer 5 minutes dans une poêle avec l'huile d'olive. Ajoutez les tomates cerises et poursuivez la cuisson 5 minutes.

Pendant ce temps, portez à ébullition une grande quantité d'eau salée et faites cuire les spaghettis en respectant la durée indiquée sur le paquet.

Servez les pâtes avec la sauce à l'avocat, les tomates cerises et les feuilles de basilic.

POUR 4 PERSONNES

1 avocat
½ citron pour le jus
50 g de parmesan râpé
50 ml de crème fraîche fluide
1 gousse d'ail
3 échalotes
4 cuillerées à soupe d'huile d'olive
16 tomates cerises
500 g de spaghettis
10 feuilles de basilic frais
Sel et poivre

Avec de la viande

Boulettes d'agneau épicées et crème d'avocat

POUR 4 PERSONNES

1 oignon

1 gousse d'ail

2 cuillerées à soupe d'huile d'olive

1 œuf

2 cuillerées à soupe de chapelure

1 cuillerée à café de quatre-épices

1 pincée de cumin

350 g d'épaule d'agneau hachée

75 g de raisins secs

2 avocats

20 cl de crème fraîche fluide

1 citron pour le jus

Sel et poivre

Pelez et émincez l'ail et l'oignon. Faites-les dorer 5 minutes dans une poêle avec 1 cuillerée à soupe d'huile d'olive bien chaude.

Dans un saladier, battez l'œuf avec la chapelure et les épices. Incorporez la viande hachée, les raisins secs et le mélange ail-oignon. Quand la préparation est homogène, formez des boulettes à la main. Faites-les cuire 8 minutes à la poêle avec l'huile d'olive restante, en les remuant souvent. Salez et poivrez.

Pelez les avocats, coupez-les en deux et ôtez les noyaux. Mixez la chair avec le jus de citron et la crème fraîche jusqu'à obtention d'une texture crémeuse.

Dégustez les boulettes avec la crème à l'avocat.

Risotto à l'avocat et au chorizo croustillant

POUR 4 PERSONNES

- 4 échalotes
- 2 gousses d'ail
- 3 cuillerées à soupe d'huile d'olive
- 200 g de riz arborio
- 5 cl de vin blanc sec
- 1,5 l de bouillon de légumes
- 100 g de parmesan
- 50 g de beurre
- 2 avocats
- 1 chorizo doux
- 2 cuillerées à soupe de vinaigre balsamique
- 1 cuillerée à soupe de miel
- Sel et poivre

Pelez les échalotes et l'ail, hachez-les, puis faites-les revenir dans une poêle avec un peu d'huile. Ajoutez le riz et laissez rissoler sans coloration. Mouillez avec le vin blanc et laissez le liquide s'évaporer en remuant sans cesse. Quand tout le vin est évaporé, faites de même avec une louche de bouillon et continuez ainsi jusqu'à ce que le riz prenne une texture crémeuse. Au bout de 20 minutes, incorporez le parmesan et le beurre.

Pelez les avocats, coupez-les en deux et ôtez les noyaux. Coupez la chair en fines lamelles.

Coupez le chorizo en rondelles que vous faites revenir à la poêle dans l'huile restante. Déglacez avec le vinaigre balsamique et le miel.

Répartissez le risotto dans des assiettes creuses et garnissez-le avec des lamelles d'avocat et des rondelles de chorizo.

Carpaccio de bœuf à l'avocat et au parmesan

POUR 4 PERSONNES

400 g de filet de bœuf coupé très fin

2 avocats

2 petits oignons nouveaux

10 cl d'huile d'olive

40 g de copeaux de parmesan

1 branche de basilic frais

Sel et poivre

Pelez les avocats, coupez-les en deux et ôtez les noyaux. Taillez la chair en très fines tranches à l'aide d'une mandoline.

Pelez les oignons et hachez-les finement. Ciselez le basilic.

Dans un grand plat de service, intercalez les tranches de bœuf et les tranches d'avocat. Arrosez d'huile d'olive. Parsemez de copeaux de parmesan, d'oignon et de basilic ciselé. Salez et poivrez. Dégustez aussitôt.

Saveurs de la mer

Soupe chinoise avocat, pomelo et crevettes

POUR 4 PERSONNES

- 200 g de vermicelles de riz
- 30 g de gingembre frais
- 1 brin de citronnelle
- 1 pomelo
- 1 branche de céleri
- 1 avocat
- 1 cuillerée à soupe d'huile de sésame
- 200 g de crevettes décortiquées
- 2 litres de bouillon de poule
- 2 cuillerées à soupe de sauce soja

Portez à ébullition un grand volume d'eau salée et faites cuire les vermicelles en respectant le temps indiqué sur le paquet. Égouttez-les et passez-les sous un filet d'eau froide.

Pelez et râpez le gingembre. Hachez finement la citronnelle.

Pelez le pomelo à vif et prélevez les quartiers. Taillez le céleri en petits tronçons.

Pelez l'avocat, coupez-le en deux et ôtez le noyau. Détaillez la chair en fines lamelles.

Faites revenir le gingembre, la citronnelle et le céleri 2 minutes à feu vif avec l'huile de sésame. Ajoutez les crevettes et laissez cuire 5 minutes. Versez le bouillon de poule, portez à ébullition, puis ajoutez les vermicelles. Laissez cuire le temps indiqué sur le paquet et assaisonnez avec la sauce soja.

Au moment de servir, ajoutez les quartiers de pomelo et les lamelles d'avocat.

Saumon grillé, salsa avocat-ananas

POUR 2 PERSONNES

1 avocat

1 ananas

2 oignons nouveaux

1 gousse d'ail

1 petit piment frais

1 branche de coriandre fraîche

1 citron vert pour le jus

2 cuillerées à soupe d'huile d'olive

½ cuillerée à café de cumin

2 filets de saumon

Sel et poivre

Pelez l'avocat, retirez le noyau, puis détaillez la chair en petits dés. Pelez l'ananas et coupez également la chair en petits dés. Hachez finement les oignons nouveaux, l'ail, le piment et la coriandre. Mélangez délicatement tous ces ingrédients. Arrosez de jus de citron vert avant d'ajouter 1 cuillerée à soupe d'huile d'olive. Assaisonnez avec le cumin, le sel et le poivre. Mélangez délicatement et réservez au frais pendant 30 minutes.

Faites chauffer le reste d'huile dans une poêle pour y faire griller les pavés de saumon 5 minutes côté peau. Salez et poivrez. Le cœur doit rester rosé.

Servez les pavés de saumon avec la salsa d'avocat et d'ananas.

Carpaccio de Saint-Jacques, avocats et clémentines

POUR 4 PERSONNES

- 250 g de noix de Saint-Jacques (sans le corail)
- 1 cuillerée à soupe de jus de citron
- 3 clémentines
- 2 avocats
- 2 cuillerées à soupe d'huile de noisette
- Sel et poivre

Taillez les noix de Saint-Jacques en fines lamelles. Disposez-les bien à plat sur quatre assiettes et arrosez-les de jus de citron. Réservez au frais.

Pelez les clémentines à vif pour prélever les quartiers.

Pelez les avocats, coupez-les en deux et ôtez les noyaux. Coupez la chair en fines tranches à l'aide d'une mandoline.

Décorez le carpaccio de Saint-Jacques avec des quartiers de clémentine et des tranches d'avocat. Salez, poivrez et arrosez légèrement d'huile de noisette.

Tartare de thon, avocat et pistaches

POUR 4 PERSONNES

300 g de ventrèche de thon

2 avocats

2 brins de coriandre fraîche

I citron vert

2 cuillerées à soupe d'huile d'olive

50 g de pistaches mondées

Sel et poivre

Coupez la ventrèche de thon en petits dés. Pelez les avocats, coupez-les en deux et ôtez les noyaux avant de détailler la chair en petits dés.

Hachez la coriandre (réservez quelques feuilles pour décorer).

Prélevez le jus et le zeste du citron vert.

Dans un saladier, mélangez l'huile d'olive avec la coriandre, le jus et le zeste du citron, le sel et le poivre. Ajoutez le thon et l'avocat, puis remuez délicatement. Filmez et réservez au frais pendant 1 heure.

Concassez les pistaches. Servez le tartare dans des bols. Saupoudrez de feuilles de coriandre et de pistaches concassées. Servez immédiatement.

Tartare de daurade, avocat et grenade

Coupez la daurade en petits dés en prenant soin de retirer les arêtes, puis mettez-la dans un saladier. Ajoutez l'huile d'olive, le jus de citron et 2 gouttes de Tabasco. Salez et poivrez. Réservez au frais pendant 30 minutes.

Pelez les avocats, coupez-les en deux et ôtez les noyaux. Coupez la chair en petits dés. Égrainez la grenade. Hachez finement la ciboulette.

Mélangez le poisson, l'avocat et les graines de grenade. Parsemez de ciboulette et servez très frais.

POUR 4 PERSONNES

300 g de filet de daurade

1 cuillerée à soupe d'huile d'olive

1 citron pour le jus

Tabasco

2 avocats

1 grenade

5 brins de ciboulette

Sel et poivre

Tartare de saumon, avocat et mangue

POUR 4 PERSONNES

2 brins de coriandre

300 g de filet de saumon

1 citron vert pour le jus

1 cuillerée à soupe de sauce soja

1 cuillerée à café de gingembre frais râpé

1 mangue

2 avocats

Sel et poivre

Hachez finement la coriandre. Coupez le saumon en petits dés et placez-le dans un saladier. Ajoutez le jus de citron, la sauce soja, le gingembre et la coriandre. Salez et poivrez, puis mélangez délicatement. Réservez au frais pendant 30 minutes.

Pelez la mangue, ôtez le noyau et coupez la chair en petits dés. Faites de même avec l'avocat. Mélangez le saumon, l'avocat et la mangue. Servez bien frais.

Ceviche de gambas, avocat et poivron

POUR 4 PERSONNES

- 350 g de gambas cuites
- 1 oignon rouge
- 1 gousse d'ail
- 1 cuillerée à soupe d'huile d'olive
- 1 citron vert pour le jus
- 2 avocats
- 1 poivron rouge
- ½ concombre
- 4 brins de coriandre fraîche

Décortiquez les gambas, puis coupez les queues en quatre. Pelez et hachez l'oignon rouge et l'ail.

Dans un saladier, mélangez l'huile d'olive, le jus de citron, l'ail et l'oignon. Ajoutez les crevettes et laissez mariner 1 heure au frais.

Pelez les avocats, coupez-les en deux et ôtez les noyaux. Coupez en deux le poivron et le demi-concombre, puis retirez tous les pépins. Détaillez les légumes en petits dés. Ciselez la coriandre.

Mélangez les légumes avec les crevettes marinées. Répartissez le ceviche dans les assiettes et servez sans attendre.

Temakis à l'avocat, au crabe et au wasabi

POUR 6 PERSONNES

200 g de riz à sushi

20 cl d'eau

1 cuillerée à café de sel

1 cuillerée à soupe de sucre

2 cuillerées à soupe de vinaigre de riz

2 avocats

6 feuilles de nori

80 g de chair de crabe

1 cuillerée à café de wasabi

Graines de sésame

De la sauce soja

Rincez le riz à plusieurs reprises jusqu'à ce que l'eau soit bien claire. Laissez-le s'égoutter dans une passoire, puis placez-le dans une grande casserole et couvrez avec deux fois son volume d'eau. Salez, fermez hermétiquement et portez à ébullition. Baissez le feu et laissez cuire 12 minutes à feu doux, jusqu'à ce que l'eau soit absorbée.

Mélangez dans un bol le vinaigre de riz et le sucre. Étalez le riz dans un plat et versez le mélange vinaigre-sucre dessus. Remuez délicatement à l'aide d'une cuillère en bois.

Pelez les avocats, coupez-les en deux et ôtez les noyaux. Coupez la chair en fines lamelles.

Coupez les feuilles de nori en quatre. Placez 1 cuillerée de riz au centre de la feuille, puis déposez sur le dessus une lamelle d'avocat, de la chair de crabe et une pointe de wasabi. Parsemez de graines de sésame. Roulez le temaki de manière à former un cône.

Faites de même avec toutes les feuilles de nori. Servez aussitôt avec de la sauce soja.

Makis au cream cheese et à l'avocat

POUR 36 MAKIS

300 g de riz à sushi
30 cl d'eau
1 cuillerée à café de sel
60 ml cuillerées à soupe de vinaigre de riz
20 g de sucre
2 avocats
10 brins de ciboulette
200 g de cream cheese
3 feuilles de nori

Rincez le riz à plusieurs reprises jusqu'à ce que l'eau soit bien claire. Laissez-le s'égoutter dans une passoire, puis placez-le dans une grande casserole et couvrez avec deux fois son volume d'eau. Salez, fermez hermétiquement et portez à ébullition. Baissez le feu et laissez cuire 12 minutes à feu doux, jusqu'à ce que l'eau soit absorbée.

Mélangez dans un bol le vinaigre de riz et le sucre. Étalez le riz dans un plat et versez le mélange vinaigre-sucre dessus. Remuez délicatement à l'aide d'une cuillère en bois.

Pelez et ôtez le noyau des avocats. Coupez la chair en fines lamelles. Rincez la ciboulette.

Posez une feuille de nori sur une natte en bambou. Étalez une poignée de riz cuit dessus, sans en mettre sur les bords. Étalez 3 cuillerées à soupe de cream cheese sur un des côtés, placez dessus quelques lamelles d'avocats et des brins de ciboulettes. En commençant par le bord avec la garniture, roulez la natte vers l'avant en pressant légèrement. Déroulez la natte pour libérer le rouleau que vous détaillez alors en 6 makis. Recommencez l'opération avec les feuilles de nori restantes.

Brochettes de lotte, chorizo et avocat

POUR 4 PERSONNES

600 g de filet de lotte
1 chorizo doux
2 avocats

Pour la marinade
1 gousse d'ail
3 cuillerées à soupe d'huile d'olive
2 cuillerées à soupe de jus de citron
1 cuillerée à café de miel
1 pincée de safran
Sel et poivre

Préparez la marinade : pelez et écrasez l'ail, puis disposez-le dans un saladier et ajoutez l'huile d'olive, le jus de citron, le miel et le safran. Salez et poivrez.

Coupez les filets de lotte en cubes et mettez-les dans la marinade. Mélangez, puis laissez reposer au frais pendant 1 heure.

Coupez le chorizo en tranches de 5 mm d'épaisseur. Coupez les avocats en deux, ôtez la peau et les noyaux. Coupez la chair en cubes.

Faites griller les tranches de chorizo dans une poêle, 1 minute sur chaque face. Débarrassez le chorizo dans un plat mais conservez le jus de cuisson. Faites ensuite dorer les cubes de lotte dans ce jus pendant environ 10 minutes.

Piquez un morceau de poisson, une tranche de chorizo puis un cube d'avocat sur chaque brochette et servez sans attendre.

À manger avec les doigts

Petits flans à l'avocat, tomates confites et roquefort

Préchauffez le four à 180 °C (thermostat 6).

Pelez les avocats, coupez-les en deux et ôtez les noyaux. Mixez la chair avec le roquefort et le jus de citron.

Battez les œufs avec la Maïzena et le lait. Ajoutez le mélange avocat-roquefort ainsi que les tomates confites égouttées. Salez et poivrez.

Versez la préparation dans des moules à muffins en silicone et enfournez pour 30 minutes. À savourer froid pour un déjeuner sur le pouce ou tiède avec une salade de crudités.

POUR 4 PERSONNES

2 avocats

100 g de roquefort

1 citron pour le jus

3 œufs

1 cuillerée à soupe de Maïzena

10 cl de lait

2 cuillerées à soupe de citron

100 g de tomates confites

Sel et poivre

Tartines avocat, chèvre et pancetta

POUR 2 PERSONNES

1 avocat

1 tomate

4 tranches de pancetta

2 tranches de pain aux graines

100 g de fromage de chèvre frais

Pelez l'avocat, coupez-le en deux et ôtez le noyau. Coupez la chair en lamelles. Détaillez également la tomate en fines tranches.

Faites griller les tranches de pancetta dans une poêle jusqu'à ce qu'elles croustillent.

Toastez le pain au grille-pain. Étalez sur chaque tranche un peu de fromage frais avant de garnir les tartines avec la pancetta, la tomate et l'avocat.

Tartines avocat, poulet et tomate

POUR 2 PERSONNES

1 avocat

le jus de ½ citron

6 tomates cerise

6 tomates confites

2 escalopes de poulet

1 cuillerée à soupe d'huile d'olive

2 grandes tranches de pain de campagne

1 cuillerée à café de vinaigre balsamique

Sel et poivre

Pelez l'avocat, coupez-le en deux et ôtez le noyau. Écrasez la chair à la fourchette. Salez et poivrez, puis arrosez de jus de citron.

Coupez les tomates cerise en deux et les tomates confites en lamelles fines.

Poêlez les escalopes de poulet dans l'huile d'olive chaude en les laissant cuire 4 minutes de chaque côté. Coupez-les ensuite en lamelles.

Passez les tranches de pain au grille-pain, puis tartinez-les avec la purée d'avocat. Garnissez chaque tartine de lamelles de poulet, de tomates cerise et de tomates confites. Arrosez d'un filet de vinaigre balsamique.

Wraps houmous, kale, avocat et grenade

POUR 4 PERSONNES

75 g de chou kale
½ grenade
2 avocats
4 wraps au blé complet
200 g de houmous
8 feuilles de menthe
2 cuillerées à soupe d'huile d'olive

Retirez les tiges centrales des feuilles de chou. Plongez les feuilles dans une casserole d'eau bouillante pendant 5 minutes, puis retirez-les et plongez-les aussitôt dans un saladier d'eau froide pour stopper la cuisson.

Égrainez la grenade. Pelez les avocats, coupez-les en deux et retirez les noyaux. Coupez la chair en lamelles.

Réchauffez les wraps 2 minutes sous le gril du four, puis tartinez-les de houmous. Garnissez le centre de lamelles d'avocat, de feuilles de chou kale, de feuilles de menthe et grains de grenade. Roulez les wraps et coupez-les en deux pour les déguster.

Pitas bœuf et salsa d'avocat

Pelez et émincez l'ail et l'oignon. Faites-les dorer 2 minutes à la poêle dans l'huile d'olive, puis ajoutez le paprika et remuez. Taillez le bœuf en lamelles et saisissez-le 2 minutes de chaque côté dans la poêle. Salez et poivrez.

Pelez l'avocat, coupez-le en deux et ôtez le noyau. Coupez la chair de l'avocat, le concombre et la tomate en petits dés. Émincez finement le chou rouge.

Passez les pains pita 2 minutes au grille-pain. Ouvrez-les et garnissez-les de lamelles de viande, de légumes, de yaourt et de feuilles de coriandre.

POUR 4 PERSONNES

1 oignon rouge

2 gousses d'ail

1 cuillerée à soupe d'huile d'olive

½ cuillerée à soupe de paprika en poudre

600 g de pavé de bœuf

1 avocat

1 concombre

1 tomate

½ chou rouge

4 pains pita

1 yaourt nature

4 brins de coriandre fraîche

Sel et poivre

Burgers poulet grillé, avocat et ricotta

POUR 4 PERSONNES

4 escalopes de poulet

1 cuillerée à soupe d'huile d'olive

2 avocats

4 pains à burger

80 g de ricotta

50 g de tomates confites

60 g de copeaux de parmesan

80 g de mâche

Sel et poivre

Poêlez les escalopes de poulet 3 minutes de chaque côté dans l'huile d'olive bien chaude. Salez et poivrez.

Pelez les avocats, coupez-les en deux et ôtez les noyaux. Coupez la chair en lamelles.

Ouvrez les pains à burger et passez-les 5 minutes sous le gril du four.

Tartinez la base de chaque pain à burger avec la ricotta. Ajoutez des tomates confites, des lamelles d'avocat, des copeaux de parmesan et quelques feuilles de mâche. Fermez les burgers et dégustez sans attendre.

Tortillas haricots rouges et avocat

Préchauffez le four à 180 °C.

Pelez et émincez l'oignon rouge. Pelez l'avocat, coupez-le en deux et ôtez le noyau, puis détaillez la chair en fines lamelles.

Mélangez le yaourt avec le paprika, du sel et du poivre.

Faites chauffer les tortillas 5 minutes, puis garnissez-les avec de la salade, du maïs, des haricots, de l'oignon et de l'avocat. Ajoutez un peu de yaourt et dégustez aussitôt.

POUR 4 PERSONNES

1 petit oignon rouge

1 avocat

4 cuillerées à soupe de yaourt nature

1 cuillerée à café de paprika

4 grandes feuilles de laitue

100 g de maïs en grains

200 g de haricots rouges cuits

4 tortillas

Sel et poivre

Quesadillas poulet, avocat et mozzarella

POUR 4 PERSONNES

3 blancs de poulet

2 cuillerées à soupe d'huile végétale

2 avocats

4 petits oignons nouveaux

1 citron pour le jus

½ cuillerée à café de paprika

2 boules de mozzarella

8 tortillas de maïs

Sel et poivre

Poêlez les escalopes de poulet 3 minutes de chaque côté dans l'huile bien chaude. Salez et poivrez. Coupez-les enfin en tranches fines.

Hachez les oignons nouveaux. Pelez les avocats, coupez-les en deux et ôtez les noyaux. Écrasez la chair à la fourchette, puis incorporez les oignons hachés, le jus de citron et le paprika.

Coupez la mozzarella en cubes.

Garnissez la moitié des tortillas avec la purée d'avocat, des lamelles de poulet et de la mozzarella. Recouvrir avec les tortillas restantes.

Faites dorer ces quesadillas 3 minutes de chaque côté dans une poêle avec l'huile restante.

Bagels avocat, betterave et surimi

POUR 2 PERSONNES

- 1 betterave
- 1 avocat
- 10 brins de ciboulette
- 100 g de miettes de surimi
- 1 citron pour le jus
- 2 cuillerées à soupe de crème fraîche épaisse
- 1 cuillerée à café de raifort
- 2 bagels
- Sel et poivre

Pelez l'avocat, coupez-le en deux et ôtez le noyau. Pelez la betterave et coupez les extrémités. Taillez l'avocat et la betterave en fines lamelles à l'aide d'une mandoline.

Hachez finement la ciboulette.

Mélangez le surimi avec le jus de citron, la crème fraîche, le raifort et la ciboulette. Salez et poivrez.

Coupez les bagels en deux. Passez les 5 minutes sous le gril du four. Tartinez-en deux moitiés avec le mélange crème-surimi, puis garnissez-les de lamelles de betterave et d'avocat. Couvrez avec les moitiés de bagel restantes et dégustez sans attendre.

Bagels courgette, avocat et citron confit

POUR 2 PERSONNES

1 avocat
2 courgettes
1 cuillerée à soupe d'huile d'olive
1 brin de thym frais
1 citron confit
100 g de mascarpone
2 pains à bagel au poivre
Sel et poivre

Pelez l'avocat, coupez-le en deux et ôtez le noyau. Coupez la chair en fines lamelles.

Coupez les courgettes en fines lamelles à l'aide d'une mandoline. Huilez un gril, mettez-le à chauffer, puis faites dorer les tranches de courgette. Parsemez de thym, salez et poivrez.

Mixez le citron confit en purée et mélangez-le avec le mascarpone.

Coupez les bagels en deux et passez-les sous le gril du four pendant 5 minutes.

Tartinez deux demi-bagels avec le mélange mascarpone-citron confit, garnissez de tranches de courgette et d'avocat, refermez les sandwichs et dégustez sans attendre.

Sandwichs pastrami et avocat

POUR 2 PERSONNES

1 avocat

8 cornichons

50 g de feuilles de roquette

1 cuillerée à soupe d'huile d'olive

1 cuillerée à café de vinaigre de vin

4 tranches de pain au sésame

8 tranches fines de pastrami

2 cuillerées à soupe de moutarde au miel

Pelez l'avocat, coupez-le en deux et ôtez le noyau. Coupez la chair en lamelles.

Coupez les cornichons en lamelles.

Mélangez la roquette avec l'huile d'olive et le vinaigre.

Faites griller les tranches de pain, puis tartinez-les de moutarde. Répartissez sur deux tranches les lamelles d'avocat, le pastrami, les cornichons et la roquette. Refermez avec les tranches restantes.

Sandwichs toastés épinard, mozzarella, jambon et avocat

POUR 2 PERSONNES

1 avocat

1 boule de mozzarella

2 cuillerées à café de moutarde

4 tranches de pain de mie

4 tranches fines de jambon blanc

50 g de pousses d'épinard

20 g de beurre

Sel et poivre

Pelez l'avocat, coupez-le en deux et ôtez le noyau. Coupez la chair en fines tranches. Coupez aussi la mozzarella en tranches.

Tartinez de moutarde 2 tranches de pain de mie. Garnissez-les avec les pousses d'épinard, les tranches d'avocat, le jambon et la mozzarella. Fermez les sandwichs, salez et poivrez, puis étalez du beurre sur le dessus.

Toastez les sandwiches pendant 4 minutes dans un appareil à croque-monsieur.

Sandwichs avocat, chèvre, figues et noix

POUR 2 PERSONNES

1 baguette

1 avocat

½ Sainte-Maure (fromage de chèvre)

6 figues fraîches

50 g de noix

100 g de roquette

1 cuillerée à soupe d'huile d'olive

1 cuillerée à café de vinaigre balsamique

Sel et poivre

Incisez la baguette dans la longueur, puis coupez-la en deux.

Pelez et ôtez le noyau de l'avocat. Détaillez la chair en fines lamelles. Faites aussi de fines tranches de fromage et de figues.

Hachez grossièrement les noix et faites-les griller à sec dans une poêle pendant 5 minutes. Assaisonnez la salade avec l'huile d'olive, le vinaigre balsamique, du sel et du poivre.

Garnissez chaque sandwich avec du fromage, des figues et de l'avocat. Ajoutez la roquette et parsemez de noix.

Grosses salades complètes

Salade de pois chiches, avocat, feta, grenade

POUR 4 PERSONNES

2 avocats
1 grenade
300 g de pois chiche
1 petit oignon rouge
2 branches de coriandre fraîche
100 g de feta
½ citron pour le jus
5 cl d'huile d'olive
1 pincée de cumin
Sel et poivre

Pelez les avocats, coupez-les en deux et ôtez les noyaux. Coupez la chair en cubes de taille moyenne. Égrainez la grenade. Rincez et égouttez les pois chiches. Hachez l'oignon en fines lamelles. Hachez finement les feuilles de coriandre

Dans un grand saladier mélangez les cubes d'avocat, la grenade, les lamelles d'oignons et la coriandre. Émiettez la feta et mélangez délicatement. Avant de servir, assaisonnez avec le jus de citron, le cumin, l'huile d'olive, du sel et du poivre.

Salade de nouilles soba, avocat et champignons

POUR 4 PERSONNES

400 g de nouilles soba
1 avocat
2 ciboules
5 champignons de Paris
2 cuillerées à soupe de vinaigre de riz
1 cuillerée à soupe de miel
1 cuillerée à soupe d'huile de sésame
2 cuillerées à soupe de graines de sésame grillées

Portez à ébullition un grand volume d'eau salée et faites cuire les nouilles en respectant le temps indiqué sur le paquet. Égouttez-les et passez-les sous un filet d'eau froide.

Pelez l'avocat, coupez-le en deux et ôtez le noyau. Coupez la chair en fines lamelles.

Hachez les ciboules. Rincez les champignons et coupez-les en fines tranches.

Mélangez le vinaigre de riz avec le miel, l'huile de sésame et les graines de sésame.

Dressez les nouilles soba dans des assiettes, puis garnissez-les avec l'avocat, les champignons et la ciboule. Arrosez de sauce et dégustez sans attendre.

Salade nordique aux harengs et à l'avocat

POUR 4 PERSONNES

2 avocats

1 pomme granny smith

4 filets de hareng fumé

2 brins d'aneth frais

3 cuillerées à soupe de vinaigre de cidre

2 yaourts nature à la grecque

30 g d'airelles confites

Pelez les avocats, coupez-les en deux et ôtez les noyaux. Coupez la chair en petits cubes. Coupez la pomme en fines lamelles sans l'éplucher.

Émiettez grossièrement les filets de hareng et placez-la dans un saladier avec l'avocat et la pomme.

Hachez finement l'aneth. Mélangez les yaourts avec l'aneth, le vinaigre et les airelles. Versez cette sauce dans le saladier et mélangez délicatement.

Salade de quinoa, pêches grillées et avocat

POUR 6 PERSONNES

500 g de quinoa
3 pêches
100 g d'amandes mondées
3 avocats
2 branches de menthe fraîche
1 orange pour le jus
2 cuillerées à café de miel
8 cl d'huile d'olive
Sel et poivre

Faites cuire le quinoa le temps indiqué sur le paquet. Coupez les pêches en deux et retirez les noyaux. Faites dorer chaque oreillon 5 minutes côté chair sur un gril en fonte.

Torréfiez les amandes 3 minutes à sec dans une poêle bien chaude.

Pelez les avocats, coupez-les en deux et ôtez les noyaux. Coupez la chair en fins quartiers.

Ciselez finement les feuilles de menthe.

Dans un saladier, mélangez le jus d'orange avec le miel et l'huile d'olive. Salez et poivrez. Ajoutez le quinoa, les pêches grillées et l'avocat. Mélangez et parsemez de menthe. Servez sans attendre.

Salade César à l'avocat

POUR 4 PERSONNES

2 filets de poulet
10 cl d'huile d'olive
1 citron pour le jus
1 cuillerée à café de sucre en poudre
1 salade romaine
1 jaune d'œuf
1 cuillerée à soupe de moutarde
2 cuillerées à café de vinaigre blanc
1 gousse d'ail hachée
2 avocats
150 g de croûtons
100 g de copeaux de parmesan
Sel et poivre

Taillez les filets de poulet en lamelles et faites-les revenir dans une poêle avec 1 cuillerée à soupe d'huile bien chaude. En fin de cuisson, versez le sucre et le jus de citron, puis laissez caraméliser. Réservez.

Rincez et hachez grossièrement la salade.

Dans un saladier, mélangez le jaune d'œuf et la moutarde. Salez et poivrez. Ajoutez petit à petit l'huile d'olive en filet et montez le mélange au fouet comme une mayonnaise. Ajoutez le vinaigre blanc et l'ail haché. Ajoutez enfin la moitié des copeaux de parmesan et mélangez à nouveau.

Pelez les avocats, coupez-les en deux et ôtez les noyaux. Coupez la chair en cubes de taille moyenne.

Ajoutez dans le saladier les feuilles de romaine hachées, le poulet, les croûtons, l'avocat et le parmesan. Remuez délicatement et dégustez aussitôt.

Salade mélangée œufs mollets, jambon cru et avocat

POUR 4 PERSONNES

4 œufs

50 g de pignons de pin

2 avocats

4 cuillerées à soupe d'huile d'olive

2 cuillerées à café de vinaigre balsamique

400 g de laitue

8 tranches de jambon sec

Sel et poivre

Faites cuire les œufs dans un grand volume d'eau bouillante pendant 6 minutes. Rafraîchissez-les sous un filet d'eau froide et décoquillez-les.

Faites griller les pignons de pin à sec dans une poêle pendant 5 minutes.

Pelez et ôtez les noyaux des avocats. Découpez la chair en fines lamelles.

Préparez la vinaigrette en mélangeant l'huile, le vinaigre, du sel et du poivre. Lavez la salade, égouttez-la bien, puis assaisonnez-la avec la vinaigrette.

Répartissez la salade et le jambon dans les assiettes puis garnissez de lamelles d'avocat et parsemez de pignons grillés. Placez les œufs sur le dessus et fendez-les avec la pointe du couteau pour laisser couler le jaune.

Salade de printemps aux petits pois, fèves, avocat et mozzarella

POUR 4 PERSONNES

2 avocats
200 g de petits pois frais
300 g de fèves fraîches
200 g de roquette
16 petites billes de mozzarella
10 feuilles de basilic frais
10 cl d'huile d'olive
5 cl de vinaigre de cidre
1 citron pour le jus
Sel et poivre

Écossez les fèves et les petits pois. Plongez les 5 minutes dans l'eau bouillante salée, puis égouttez-les et rincez-les sous l'eau froide.

Pelez les avocats et ôtez les noyaux. Détaillez la chair en petits dés.

Dans un grand saladier, mélangez l'avocat, les petits pois, les fèves, la roquette, la mozzarella et les feuilles de basilic. Assaisonnez avec l'huile d'olive, le jus de citron et le vinaigre. Salez et poivrez.

5

Desserts

Les glaces

Glace
avocat, coriandre, tequila

POUR 4 PERSONNES

3 avocats

½ citron pour le jus

2 yaourts nature brassés

10 feuilles de coriandre

Tabasco

2 cuillerées à soupe de tequila

Sel

Pelez les avocats, coupez-les en deux et ôtez les noyaux. Mixez la chair dans un robot. Ajoutez le jus de citron, les yaourts, les feuilles de coriandre, du Tabasco et un peu de sel. Mixez à nouveau pour obtenir une purée lisse. Versez dans une sorbetière et turbinez pendant 30 minutes. Placez au congélateur au moins 3 heures.

Au moment de servir, arrosez les boules de glace avec la tequila.

Glace avocat-pistache

Pelez les avocats, coupez-les en deux et ôtez les noyaux. Mixez la chair dans un robot. Ajoutez la pâte de pistache, les yaourts et le sirop d'agave. Versez dans une sorbetière et turbinez 30 minutes. Placez au congélateur au moins 3 heures avant de déguster.

POUR 4 PERSONNES

3 avocats

2 cuillerées à soupe de pâte de pistache

2 yaourts nature brassés

3 cuillerées à soupe de sirop d'agave

Glace avocat-menthe

Pelez les avocats et ôtez les noyaux. Mixez la chair dans un robot. Ajoutez le jus et le zeste de citron, les yaourts et les feuilles de menthe (gardez en quelques-unes pour décorer). Salez et poivrez à votre goût. Mixez à nouveau pour obtenir une purée lisse.

Versez dans une sorbetière et laissez turbiner pendant 30 minutes. Placez au congélateur au moins 3 heures. Servir les boules de glaces décorées de feuilles de menthe.

POUR 4 PERSONNES

3 avocats

Le jus et le zeste de 3 citrons verts

2 yaourts nature brassés

10 feuilles de menthe

Sel et poivre

Bâtonnets glacés avocat et thé matcha

POUR 12 GLACES

1 avocat

2 cuillerées à café de poudre de thé matcha

3 cuillerées à soupe de miel

10 cl de lait d'amande

12 bâtonnets en bois

Pelez l'avocat, coupez-le en deux et ôtez le noyau. Mixez la chair avec le reste des ingrédients pour obtenir une purée lisse.

Répartissez la préparation dans un bac à glaçons. Piquez un bâtonnet en bois dans chaque cube. Placez au congélateur pendant au moins 4 heures.

Placez le bac à glaçons dans l'eau chaude pendant quelques secondes pour démouler plus facilement les glaces.

Les gâteaux

Muffins au chocolat, cœur fondant à l'avocat

Pelez et ôtez le noyau de l'avocat. Mixez sa chair avec le jus de citron, 30 g de sucre et 40 g beurre. Placez la préparation dans une terrine et réservez au frais pendant 30 minutes.

Préchauffez le four à 200 °C. Faites fondre le chocolat et 80 g de beurre au bain-marie. Battez les œufs avec 90 g de sucre jusqu'à obtention d'un mélange mousseux. Incorporez le mélange chocolat-beurre, puis ajoutez la farine et remuez à nouveau.

Quand le beurre d'avocat est devenu bien ferme, formez de petites boules à l'aide d'une cuillère parisienne.

Beurrez des moules à muffins et versez la pâte au chocolat dedans. Incorporez dans chaque moule une bille de beurre d'avocat au centre. Enfournez et laissez cuire 12 minutes. Dégustez tiède.

POUR 6 MUFFINS

1 avocat

1 citron vert pour le jus

120 g de sucre

120 g de beurre + 20 g pour les moules

3 œufs

90 g de chocolat noir à pâtisserie

3 cuillerées à soupe de farine

Moelleux à l'avocat, aux framboises et graines de pavot

POUR 6 PERSONNES

2 avocats

1 citron pour le jus

50 g de beurre + 10 g pour le moule

150 g de sucre

4 œufs

100 g de farine

½ sachet de levure

50 g d'amandes en poudre

20 g de graines de pavot

50 g de framboises fraîches

Préchauffez le four à 160 °C.

Pelez et ôtez les noyaux des avocats. Mixez la chair au robot avec le jus de citron.

Fouettez le beurre et le sucre jusqu'à obtention d'une texture crémeuse. Ajoutez la purée d'avocat, puis les œufs un à un. Incorporez alors la farine, la levure, les amandes en poudre et les graines de pavot. Mélangez.

Montez les blancs en neige ferme. Incorporez les délicatement à la pâte avant d'y ajouter les framboises.

Beurrez un moule de 22 cm de diamètre. Versez la pâte dedans, glissez le gâteau au four et laissez-le cuire 40 minutes.

Fondant au chocolat, à la banane et à l'avocat

POUR 6 PERSONNES

1 avocat

1 banane

120 g de chocolat noir à pâtisserie

2 œufs

50 g de farine

1 cuillerée à soupe de cacao

75 g de sucre roux

1 pincée de sel

Préchauffez le four à 190 °C. Pelez l'avocat et la banane. Mixez-les ensemble au robot.

Faites fondre le chocolat au bain-marie. Ajoutez la purée banane-avocat et mélangez bien. Incorporez les œufs un à un, puis mélangez à nouveau.

Mélangez la farine avec le cacao, le sucre et le sel. Mélangez les deux préparations.

Placez des caissettes en papier dans des moules à muffins. Répartissez la pâte dans les caissettes et enfournez pour 10 minutes.

Cheesecakes à l'avocat et au citron vert

POUR 4 CHEESECAKES

- 100 g de speculoos
- 90 g de beurre pommade
- 2 avocats
- 1 citron vert
- 5 cl de lait demi-écrémé
- 3 feuilles de gélatine
- 100 g de fromage frais type Saint-Moret
- 60 g de sucre en poudre
- 10 cl de crème liquide

Mixez les speculoos avec le beurre pour former une pâte homogène. Tapissez le fond de 4 petits cercles à pâtisserie avec ce mélange et réservez au frais.

Pelez les avocats et retirez le noyau. Prélevez le zeste du citron, pressez son jus et mixez avec la chair de l'avocat et le lait.

Faites ramollir la gélatine dans un bol d'eau froide.

Dans un saladier, mélangez le fromage frais avec le sucre, la purée d'avocat, la crème et la gélatine bien essorée. Versez cette préparation sur les biscuits et réservez au moins 2 heures au frais.

Démoulez délicatement les cheesecakes juste avant de les déguster.

Les verrines

Verrines avocat, fraises, spéculos et faisselle

POUR 4 PERSONNES

2 avocats
200 g de fraises
70 g de sucre en poudre
2 citrons pour le jus
300 g de faisselle
100 g de speculoos

Pelez les avocats, coupez-les en deux et ôtez le noyau. Coupez la chair en petits dés.

Coupez 150 g de fraises en quartiers que vous placez dans un saladier avec l'avocat, la moitié du sucre et le jus des citrons. Mélangez et réservez au frais 30 minutes.

Mixez les fraises restantes au robot. Fouettez la faisselle avec le sucre restant et incorporez délicatement la purée de fraises. Réservez également au frais 30 minutes.

Écrasez grossièrement les speculoos.

Dressez dans chaque verrine une couche de purée avocat-fraises, puis une couche de faisselle et décorez de miettes de speculoos.

Avocats liégeois

POUR 4 PERSONNES

100 ml de crème liquide

2 avocats

40 g de cacao

1 cuillerée à café de vanille liquide

½ cuillerée à café de cardamome

3 cuillerées à soupe de miel

80 ml de lait

2 cuillerées à soupe de sucre

Placez la crème au frais.

Pelez les avocats, coupez-les en deux et ôtez les noyaux. Dans un robot, mixez leur chair avec le cacao, la vanille et la cardamome et le miel. Incorporez le lait et mixez à nouveau pour obtenir une texture lisse et onctueuse.

Montez la crème froide en chantilly à l'aide d'un batteur électrique, en incorporant petit à petit le sucre.

Versez la crème au chocolat dans des verres à pieds. Ajoutez une noix de chantilly sur le dessus. Réservez au frais jusqu'au moment de servir.

Mousse avocat, kiwi et bergamote

POUR 4 PERSONNES

2 avocats
1 bergamote
200 g de tofu soyeux
40 g de sucre
4 kiwis

Pelez les avocats, coupez-les en deux et ôtez les noyaux.

Prélevez le jus et le zeste de la bergamote. Mixez la chair des avocats avec le tofu, le sucre, le jus et le zeste de bergamote pendant 7 minutes environ, jusqu'à obtention d'une texture crémeuse.

Pelez les kiwis et coupez-les en fines lamelles. Versez la mousse à l'avocat dans des verrines et décorez avec les lamelles de kiwi. Réservez au frais pendant au moins 3 heures.

Panna cotta à l'avocat et compotée de fraise

POUR 4 PERSONNES

2 feuilles de gélatine
1 avocat
½ citron vert pour le jus
50 g de cassonade
20 cl de crème
120 g de fraises

Faites ramollir les feuilles de gélatine dans un bol d'eau froide.

Pelez l'avocat, coupez-le en deux et ôtez le noyau. Mixez sa chair au robot avec la cassonade et le jus de citron jusqu'à obtention d'une purée bien lisse.

Faites chauffer la crème dans une casserole à feux doux. Essorez les feuilles de gélatine et incorporez-les à la crème chaude, puis ajoutez la purée d'avocat.

Transvasez la préparation dans des verrines et faites prendre au moins 3 heures au frais.

Équeutez les fraises, coupez-les en deux, mettez-les dans une casserole et laissez-les compoter 8 minutes. Réservez au frais.

Au moment de servir, garnissez les panna cotta de compotée de fraises.

Avec des fruits

Salade de fruits exotiques et avocat

POUR 6 PERSONNES

2 avocats
1 ananas victoria
2 bananes
1 mangue
1 goyave
4 fruits de la passion
80 g de cassonade
2 citrons verts pour le jus

Pelez les avocats, l'ananas, les bananes, la mangue et la goyave. Coupez la chair des fruits en petits dés. Placez-les dans un grand saladier.

Coupez les fruits de la passion en deux et prélevez les graines. Mélangez-les avec le sucre et le jus de citron. Nappez les fruits de ce mélange et réservez au frais pendant 30 minutes.

Salade de fraise et d'avocat, coulis de framboise

POUR 4 PERSONNES

1 avocat
15 fraises
100 g de framboises
30 g de sucre
2 citrons verts pour le jus
1 branche de menthe

Pelez et ôtez le noyau de l'avocat. Détaillez la chair en dés.

Rincez les fraises et équeutez-les, puis coupez-les en quatre.

Préparez le coulis en mixant les framboises avec le sucre et le jus de citron.

Prélevez les feuilles de la menthe et hachez-les en fines lanières.

Mélangez les fraises, les avocats et la menthe. Dressez cette salade de fruits dans des petits bols et arrosez-la de coulis de framboise. Servez aussitôt.

Confiture avocat-citron vert

POUR 3 POTS

7 avocats

3 citrons verts pour le jus et le zeste

1 kg de sucre à confiture

Plongez les pots à confiture dans un grand volume d'eau bouillante pour bien les nettoyer.

Pelez les avocats et ôtez les noyaux. Coupez la chair en petits morceaux et arrosez de jus de citron. Ajoutez le sucre et les zestes de citron, mélangez, puis laissez macérer au moins 1 heure au frais.

Versez la préparation dans une grande casserole et faites-la cuire 6 minutes à feu moyen. Vous pouvez mixer ou non la confiture.

Versez la confiture dans les pots, vissez les couvercles, retournez les pots et laissez-les tête en bas jusqu'à refroidissement complet.

Confiture avocat-bananes

POUR 3 POTS

6 avocats

4 bananes

1 kg de sucre à confiture

4 citrons pour le jus

Plongez les pots à confiture dans un grand volume d'eau bouillante pour bien les nettoyer.

Pelez les avocats et les bananes. Coupez-les en petits morceaux et arrosez-les de jus de citron. Ajoutez le sucre, mélangez, et laissez macérer au moins 1 heure.

Versez la préparation dans une grande casserole et faites-la cuire 6 minutes à feu moyen. Vous pouvez mixer ou non la confiture.

Versez la confiture dans les pots, vissez les couvercles, retournez les pots et laissez-les tête en bas jusqu'à refroidissement complet.

6

Smoothies et milk-shakes

Smoothie pomme, avocat et kiwi

POUR 2 PERSONNES

1 avocat mûr

2 kiwis

5 cl de jus de pomme froid

Pelez l'avocat, coupez-le en deux et ôtez le noyau. Pelez les kiwis. Coupez les fruits en gros morceaux et mixez-les au blender avec le jus de pomme. Servez très frais dans des verres.

Smoothie glacé banane, avocat et vanille

POUR 2 PERSONNES

1 avocat mûr

1 banane

2 boules de glace vanille

Pelez l'avocat, coupez-le en deux et ôtez le noyau. Pelez la banane. Coupez les fruits en gros morceaux et mixez-les dans un blender. Ajoutez la glace et mixez à nouveau. Dégustez aussitôt avec des glaçons.

Smoothie avocat et myrtilles

POUR 2 PERSONNES

1 avocat mûr

100 g de myrtilles congelées

1 yaourt nature

Pelez l'avocat, coupez-le en deux et ôtez le noyau. Coupez la chair en gros morceaux. Mixez l'avocat et les myrtilles dans un blender. Ajoutez le yaourt et mixez à nouveau. Dégustez aussitôt avec des glaçons.

Smoothie avocat, kale et poire

POUR 2 PERSONNES

4 tiges de chou kale

1 avocat

2 poires

Lavez les tiges de kale et retirez la nervure centrale des feuilles. Pelez l'avocat, coupez-le en deux et ôtez le noyau. Pelez les poires et ôtez le cœur.

Mixez tous les ingrédients dans un blender et savourez aussitôt avec des glaçons.

Milk-shake avocat-amandes

POUR 4 PERSONNES

2 avocats

1 cuillerée à soupe d'amandes en poudre

10 cl de lait d'amandes

1 cuillerée à soupe de miel

½ l de glace à la vanille

Pelez les avocats, coupez-les en deux et ôtez les noyaux. Mixez la chair dans un blender avec les amandes en poudre, le lait d'amande et le miel jusqu'à obtention d'une texture lisse et crémeuse. Incorporez la glace à la vanille et mixez à nouveau. Dégustez aussitôt.

Annexes

Sources

Baudevin M., Rapin E., *Ce diable d'avocat*, Haute École de Santé, Genève, 2009.

Abrams E.M., Becker A.B., Gerstner T.V., « Anaphylaxis Related to Avocado Ingestion: a Case and Review », *Allergy, Asthma & Clinical Immunology*, 2011, 7:12.

Dreher M.L., Davenport A.J., « Hass Avocado Composition and Potential Health Effects », *Critical Reviews in Food Science and Nutrition*, 2013, 53:738-750.

Dabas D., Shegog R.M., Ziegler G.R., Lambert J.D., « Avocado *(Persea americana)* Seed as a Source of Bioactive Phytochemicals », *Curr Pharm Des.*, 2013, 19(34):6133-40.

Ito A., Ito K., Morishita M., Sakamoto T., « A Banana-Allergic Infant with IgE Reactivity to Avocado, but not to Latex », *Pediatr Int.*, 2006 Jun, 48(3):321-3.

Guzmán-Rodríguez J.J., López-Gómez R. et coll., « Antibacterial Activity of Defensin PaDef from Avocado Fruit (*Persea americana* var. *drymifolia*) Expressed in Endothelial Cells against *Escherichia coli* and *Staphylococcus aureus* », *Biomed Res Int.*, 2013, 2013:986273.

ANSES (Agence nationale de sécurité sanitaire – alimentation, environnement, travail), *Avocat frais, pulpe,* ANSES/Table Ciqual (Composition nutritionnelle des aliments), 2013.

Whiley A.W., Schaffer B., Wolstenholme B.N., *The Avocado: Botany, Production and Uses*, CABI, 27 février 2013, 2e édition.

Yakoby N., Kobiler I. et coll., « pH Regulation of Pectate Lyase Secretion Modulates the Attack of Colletotrichum gloeosporioides on Avocado fruits », *Appl Environ Microbiol.*, mars 2000, 66(3):1026-30.

Table des recettes

Imprimé en Allemagne par GGP Media GmbH, Poessneck,
en octobre 2016
ISBN : 978-2-501-11913-9
9617894
dépôt légal : janvier 2017